호남문학과 근대성 연구 1 ▪■

호남문학과

근대성 연구 1

호남과 근대연구회 지음

이천년대는 집단과 자율성보다 개인과 독립성이 중요한 가치가 되어 우리의 삶을 좌우한다. 연구 주제로 합물 간 동한 근대성을 새삼 확두로 꺼내 돈 경은 이와 무관하지 않다. 전통의 타자 혹은 동시대성현대성의 타자였던 근대가 이제 전통과 동시대를 타자로 삼는 근대로 거듭나야 할 시점인 것이다

전남대학교 호남학연구단 심미안

『호남문학과 근대성 연구 1』을 펴내며

호남(湖南)은 금강의 옛이름인 호강(湖江)의 남쪽을 지칭하는 지리적 명칭이다. 이 지리적 명칭은 임진왜란, 동학, 한말 의병 등 역사적 과정 속에서 '의(義)'라는 기의를 얻게 되면서 역사적 명칭으로 거듭나게 된다. 그런가 하면 남도는 예술혼의 고장이다. 명실공히 호남은 고전문학의 메카이자 현대문학의 산실이기도 하다.

'호남'은 지역적으로나 역사적으로 다양한 의미와 의의를 지닌 시간적 공간적 개념이다. 이런 '호남'이 시·공간적 개념을 포괄하는 특수한 의의를 지닌 '근대' 혹은 '근대성'과 만날 때 파생되는 의미는 실로 다채로울 것이다. 이런 기대가 "호남과 근대연구회"를 추진하게 된 동력이 되었다.

근대는 실로 애매모호한 지점이다. 그것은 '근대'라는 개념 자체가 서구 사회에서 기획되고 또 해체되고 있기 때문일 것이다. 우리에게 근대는 전통사회와 동시대의 사이에 놓인 특정한 시기(時期) 정도로 여겨져 왔다. 따라서 전통과 동시대가 조우할 때 근대는 극단적으로 좁혀졌고, 전통과 동시대가 대립할 때는 극단적으로 넓혀지기도 했다.

2000년대는 1900년대와는 전혀 다른 가치 개념이 우리의 삶을 좌우하고 있다. 집단보다는 개인이, 자율성보다는 독립성이 중요한 가치가 되었다. 연구 주제로 한물 간 듯한 '근대성'을 새삼 화두로 꺼내 든 것은 이와 무관하지 않다. 전통의 타자, 혹은 동시대성(현대성)의 타자였던 근대가 이제 전통과 동시대를 타자로 삼는 근대로 거듭나야 할 시점이라는 것에 우리 연구자들은 의견을 함께 했다.

이런 취지에 부합하기 위해 연구회는 두 가지 방향에서 연구를 수행해 왔다. 하나는 '근대 혹은 근대성이란 무엇인가'라는 주제를 놓고 기존의 연구들을 함께 공부하면서, 동양적 근대, 한국적 근대, 그리고 호남의 근대를 고민했다. 이를 토대로 구체적인 텍스트를 분석한 것이 또 하나의 연구방향이었다.

연구 첫해의 성과를 1부와 2부로 나누어 묶었다.

제1부 「문학과 근대성」에서는 연구회가 근대성을 화두로 삼고 그것을 철학이나 역사, 사회가 아니라 왜 문학 속에서 규명하고자 하는가에 대해서 밝혔다. 한국의 근대성의 '영도(零度)'를 매천 황현의 절명시(絶命詩)로 설정하고 있는 독특한 시선도 엿볼 수 있다. 「호남 근대시문학의 흐름」에서는 1920년대와 30년대, 그리고 40년대에 걸쳐 활동한 호남지역의 시인들을 '시조시인들', '카프와 동반자 작가들', 《시문학》의 시인들', '조

선청년문학가협회의 시인들', '문학가 동맹의 시인들'로 나누어 그 생애
와 작품 활동, 그리고 대표작들을 실었다.

제2부는 구체적으로 텍스트를 분석한 글을 실었다. 본 연구가 주목하
고 있는 것은 '호남'과 '근대', 그리고 '문학'이 삼중으로 겹치는 지점이
다. 따라서 작가론, 작품론 등 문학연구의 틀에 얽매이지 않았다. 시대적
상황, 도시, 여성, 작가, 작품 모두를 분석 텍스트로 삼고 좀 더 자유로운
글쓰기를 시도해 보았다. '박용철의 시론', '댄디스트로서의 김영랑', '여
럿주체'로서의 여상현', '신극운동의 첫문을 연 김우진', '근대의식과 지
식인의 좌절로 읽은 채만식의 소설', '근대적 여성상과 근대도시를 만나
볼 수 있는 박화성의 소설'에 대한 글들이 2부를 장식하고 있다.

본 연구회는 대략 5년을 시한으로 연구를 진행하고 있다. 다음 연구는
1950년대와 1960년대 그리고 1970년대를 두 해에 걸쳐 분석하게 된다. 호
남의 시문학과 소설문학, 그리고 희곡의 근대성에 대해 조망하는 작업과
아울러 구체적인 텍스트의 분석이 이루어질 것이다. 물론 '근대성'에 대
한 회원들의 탐구는 따로 또 함께, 지속적으로 이루어지게 될 것이다. 전
근대, 근대, 현대가 뒤섞인 1980년 5월 광주민중항쟁은 우리의 현대성의

영도(零度)로 삼을 만한 지점이다. 본 연구회는 네 번째로 1980년대를 연구대상으로 삼고 있다. 마지막 해에는 연구의 종합이자 출발점으로 연구회원들마다 '호남'과 '근대성'과 '문학'에 대한 나름의 견해를 피력하는 장을 마련하고자 한다. 종합하자는 의미에서가 아니라 더욱 다채로워지려는 의도에서이다.

　이와 같은 연구계획을 가지고 있으면서도 "호남과 근대연구회"가 지지부진을 면치 못할 때 전남대학교 호남학연구단의 물적 지원은 우리들의 심적 의지를 뛰어넘고도 남는 위력을 발휘해 주었다. 거듭 거듭 감사드린다. 녹록치 않는 일정에도 좋은 책을 엮어준 도서출판 심미안 가족들에게도 고마운 인사를 전한다.

2006년 12월

호남과 근대 연구회 회원

■■■ 차례

4   머리말

||||| | || | 제1부

15   임환모   문학과 근대성
        전동진   1. 왜 근대성인가
                  2. 근대성의 '영도(零度)'
                  3. 왜 문학이어야 하는가
                  4. '근대의 지평' 확장을 위한 제언

33   송병삼   호남 근대 시문학의 흐름
                  1. 들어가며
                  2. 시조 시인들
                  3. 카프와 동반작가 시인들
                  4. 《시문학》의 시인들
                  5. 조선청년문학가협회의 시인들
                  6. 문학가 동맹의 시인들

▌▌▌▌ ▌▌ 제2부

99   김동근   박용철 시론의 變容的 意味
                             1. 머리말
                             2. 심미적 문학관의 형성배경
                             3. 순수시론의 변용적 의미
                             4. 맺음말

129   김영삼   댄디스트, 슬픔에, 매혹되다 : 김영랑
                             1. 그 수심 뜬 보랏빛 ; '슬픔'의 정서
                             2. '기둘림' ; 청각 언어적 특성
                             3. 슬픔이 먼저 있었네 ; '찰란한 슬픔' 그리고 '찰란한 봄'
                             4. 의도되지 않은 근대성 ; 자연과 시간성
                             5. 우연한 댄디스트

151 전동진   여상현 시의 '여럿주체'와 근대적 시선

                          1. '시를 추켜든'

                          2. 파토스와 '흐트러진 층'

                          3. 전통 서정을 넘는 '서정기'

                          4. 현실인식과 주체의 대응

                          5. '여럿주체'를 위하여

175 정경운   신극운동의 첫 문을 열다 : 김우진

                          1. '다만 분한 것은'

                          2. 최초의 리얼리즘 공연

                          3. '항명'과 목포로의 귀향

                          4. 홍해성과 축지소극장

                          5. '최초'라는 수식어가 감당해야 할 것들

191 김현정   채만식 소설의 식민지 근대성

                          1. 들어가는 말

                          2. 기형적인 식민지 근대화

                          3. 근대 교육을 향한 욕망과 좌절

                          4. 도시적 공간의 부정성

                          5. 나가는 말

209   최창근   채만식 소설의 고개 숙인 지식인들
              1. 머리말
              2. 절대적 빈곤과 대체 가치의 부재
              3. 지식인의 몰락과 일제의 교육정책
              4. 맺음말

225   강애경   기녀(妓女)에 투사된 근대적 여성상
              1. 박화성과 근대공간
              2. 근대공간에서의 신여성 담론
              3. 『백화』에 나타난 근대적 여성상
              4. 근대적 여성상으로 포장된 전근대성

249   조은숙   박화성 단편소설에서의 근대 도시
              1. 호남 근대 형성과 도시
              2. 근대 도시로서의 '목포'
              3. 교육 받은 여성의 비애
              4. 꿈의 도회를 갈망하는 여성들
              5. 도시와 여성 그리고 돈

1부

이천년대는 집단과 차등성보다 개인과 독립성이 중요한 가치가 되어 우리의 삶을 좌우한다. 연구 주제로 합들 간 동한 근대성을 새삼 화두로 꺼내 든 것은 이와 무관하지 않다. 전통의 타자 혹은 동시대성현대성의 타자였던 근대가 이제 전통과 동시대를 타자로 삼는 근대로 거듭나야 할 시점인 것이다.

문학과 근대성

임환모* 전동진**

1. 왜 근대성인가

근대는 애매모호한 지점(spot)이다. 더구나 우리에게 '근대성'은 애매모호성조차 획득했는지 미심쩍을 정도다. 불과 10년 전에도 우리는 한국 현대문학을 논하면서 현대시의 기점을 김소월의 시집 『진달래꽃』이나 한용운의 시집 『님의 침묵』으로 삼는 것에 큰 이견이 없었다. 21세기에 들어서고도 수년이 흐른 지금 여전히 이들 시편들은 현재적인가, 동시대성을 획득하고 있는가.

예술은 유행에 가장 둔감하다고 이야기한다. 문학 작품만 하더라도 한 세대를 넘어 그 감동을 고스란히 다음 세대에까지 전하는 작품의 예는 쉽게 찾아 볼 수 있다. 그렇다면 100년 이상 동시대성을 획득하고 있는 작품이 우리에게 있는가 라고 묻는다면 그 답은 쉽지 않을 것이다. 극히 드물

* 전남대 국문과 교수
** 원광대 문창과 강의 교수

거나 존재하지 않을 가능성이 높다.

　아름다운 것, 소유하고 싶은 것은 오늘의 현실에서는 미술관에 있지 않고 백화점의 명품관에 있다. 이렇게 향유되지 못하고 행복감을 주지 못하는 상품들은 구입하기 바로 전에 최고의 것이었다가 구입하는 즉시 진열장에 대체되는 다른 상품에 의해 '불만족' 으로 전락하게 된다. 소비, 유행에 비한다면 '예술품' 의 수명은 실로 길다고 할 만하다. 물론 소위 골동품을 예술작품으로 봐야하는가라는 문제가 따른다. 오래될수록 높은 가격이 책정되는 골동품 혹은 고미술품은 그 희소성에 비추어 과도하게 값이 매겨지는 '상품으로 전락한 전통' 에 지나지 않는다는 것이 필자의 견해다.

　같은 맥락에서 문화재라는 것도 꼭 자체가 지닌 예술성에 의해 평가 받는 것이 아니다. 최근에 문화재청은 대한제국의 마지막 황제였던 순종(1874～1926)과 순종효황후(1894～1966)가 탔던 자동차를 문화재로 등록 예고했다. 미국 GM社가 1918년경에 제작한 캐딜락 리무진과 영국의 다임러社가 1914년에 제작한 자동차가 멀리 한국에서 문화재가 되는 것이다. 문화재청은 이 두 대의 자동차가 순종과 순종황후가 탔던 황실 관련 유물로서 역사성과 함께 전 세계적으로 남아 있는 것이 많지 않다는 희소성, 그리고 당시 근대의 시대적 상황을 보여주고 있다는 상징성을 들어 문화재로 등록 예고했다고 한다. 이제 우리의 근대도 본격적으로 유물, 유산이 발굴되는 시·공간적 간격(space, interval)을 갖게 된 것이다.

　근대는 정해져 있는 특정한 시기가 아니다. 현대에 의해서, 현대성[1] 혹은 동시대성에 의해서 끊임없이 재구성되는 시기이다. 국가의 위기 상황, 사회 민주화, 인권 문제 등 20세기는 국가와 사회적 상황이 개인의 삶을 규정했다고 해도 과언이 아니다. 그러나 21세기는 이와는 다른 패러다임 속에서 개인들은 삶을 영위하게 되었다. 민족적 주체, 사회적 주체, 혹은 자율성을 지닌 주체로서의 삶이 아닌 독립성을 지닌 개인으로서의 삶이 바로 그것이다. 현대사회의 일상성을 무의식으로 삼고 있는 현대성은 근대를 현대와 구별하는 작동원리이기도 하다. 현대성에 대한 심도 깊은 논의가 뒷받침되어야 하겠지만, 직관적으로 볼 때도 1930년대는 물론 가까이 1970, 80년대만 놓고 보더라도 삶의 가치를 측정하는 척도는 지금과 천양지차라는 것을 느낄 수 있다.

이런 거리감은 애매모호하기만 했던 근대를 좀 더 선명하게 떠오르게 만든다. 또한 전통과 현대를 구분하는 데 있어 한층 명확해진 차이에 의해 그어지는 구분선을 갖게 해 준다. 다시 말해 오늘에 이르러 일상성 혹은 현대성이 현대인의 지배적인 삶의 작동원리가 됨으로써 우리는 오늘과 구분되고, 전통과는 다른 '근대'를 본격적으로 갖게 된 것이다. 이것이 새삼 근대성에 대해서 관심을 갖게 된 주된 이유이다.

2. 근대성의 '영도(零度)'

근대 혹은 근대성을 논하는 것은 근대 자체가 '존재'하기 때문이 아니다. 문제는 근대성이 아니라 '동시대성'이다. 우리가 삶의 기반으로 삼고 있는 현대성–동시대성이 얼마나 명석하고 판명적이냐가 문제다. 그래야

---

1) 현대성의 한 측면을 앙리 르페브르는 다음과 같이 말한다.
'현대성이라는 말은 새로운 것, 신기한 것이라는 의미를 띠고 있고, 사교성과 기술성의 특징이 가미된 재치와 역설을 의미한다. 그것은 과감하며 덧없고, 자신을 주장하며 갈채받는 모형이다. 그것은 소위 현대세계가 상연하는 구경거리와 일상이 자신에게 상연하는 구경거리 안에서 서로 구분되지 않은 채 들어 있는 예술이며 미학이다. (앙리 르페브르, 『현대세계의 일상성』(주류·일념, 1995), p.59)

그와 구별되는 근대성, 근대가 가능할 것이기 때문이다.

이제 '근대성의 영도(零度)'[2]라는 말이 가능한 시점에 이른 것 같다. 그 영도는 현대와 전통을 잇는 한 개의 점과 같은 성질을 갖지 않는다. 그것은 문을 열고 닫는 경첩과도 같아야 하고 또 스스로의 지평을 가져야 한다. 이 문은 안과 밖을 가름하는 표시점에 그쳐서는 안 된다. 차라리 문은 두 개의 바깥 사이에 놓이거나 두 개의 안 사이에 놓인 또 다른 하나의 세계여야 하겠다.

영도(零度)는 영하(零下)와 영상(零上)의 구분점이 아니다. 영하가 영상으로 바뀌거나 영상이 영하로 바뀌는 어떤 표식이 아니라는 것이다. 물이 어는 변화의 중심에서는 어는점으로, 얼음이 녹는 변화의 중심에서는 녹는점으로서 작용하는 스스로 문이면서, 지평을 갖는 영도(零度)이다.

현대성과는 다른 근대성이 그 두께를 더해감으로 해서 우리는 근대성의 접점을 가늠하는 작업이 가능해졌다. 전통과 현대의 출발점이자 근대성의 귀결점의 하나로 우리는 1910년 매천 황현의 죽음과 「絶命詩 4首」를 가지고 있다. 매천 황현은 경술국치의 의분을 견디지 못하고 죽음으로써 '지식인으로서의 의(義)'를 지켜내고자 한 인물이다. 죽음으로 전통적인 사상을 실천한 황현의 행동은 전통사회의 한 극점이면서 현대사회의 또 다른 극점을 의미한다. 숭고함과 무모함을 동시에 지니고 있는 행위라고

---

2) '글쓰기의 영도(零度)'에 대한 르페브르의 언급은 '영도(零度)'에 대한 우리의 이해에 도움을 줄 수 있을 것이다
   "시간은 기억과 운명 속으로 흡수되기 전에 연속과 불연속으로 갈리는데, 그것들은 거의 비슷하다. 동음이의어와 말장난도 펼쳐지고, 예고되고, 세분화된다. 순수한 상태의 글쓰기, 그것은 제로가 순수 투명인 한에 있어서 글쓰기의 영도가 아닐까? 무조음악의 어떤 유사성이 이해를 도와줄 것이다. 특별한 음계(참조대상)는 없고, 따라서 휴지도 없다. 단절이 있으나 시작은 없고, 불연속은 있으나 끝은 없다. 시간적 간격은 있으나, 엄밀하게 말해서 행동도 사건도 없다. 추억과 문장들만이 있을 뿐이다."(앙리 르페브르, 앞의 책, p.41)

평가할 수 있게 되었다는 것이다. 또한 문학 작품으로서 「절명시(絕命詩)」
는 조선조의 한문학을 다룰 때 텍스트로서 의미를 생성하는 마지막 한시
로 평가받기도 한다. 그 이후에도 오랫동안 한시는 지어졌지만 문학텍스
트로서 공론의 장에서 거론된 한시는 보지 못한 것 같다. 이처럼 여러 층
위에서 황현의 삶과 그의 작품 「절명시」는 시사하는 바가 크다. 그 전편을
들어본다.

난리 속에 그럭저럭 머리만 세었는데
몇 번이나 이 목숨 버릴려다 못했던가
나라없는 오늘날 어찌할 수 없고 보니
바람앞에 반짝이는 촛불만 창천을 비춘다.

요사스런 기운이 가리고 덮어 임금별 옮겨지고
구중궁궐 침침한데 낮시간도 지루하다
임금의 조칙 이제 다시 없으니
임랑같은 종이 한 장 하염없이 눈물진다

새 짐승도 슬피 울고 산천도 찡그리는데
무궁화 우리 세상 이미 없어졌구나
가을 등불 아래 책을 덮고 옛일을 생각해 보니
글 배운 사람 구실이 이다지도 어렵구나

내 일찍 나라 위해 조그마한 공도 세우지 못했으니
내 죽음 인(仁)을 이룰 뿐 충성은 아니로다

이제 겨우 윤곡(尹穀)처럼 죽음에 그칠 뿐

그때의 진동(陳東)처럼 나라 위하지 못함이 부끄럽구나.

- 「絶命詩」(『全南文學』의 해석을 따름)³⁾

　　이 시를 한국 근대성의 영도(零度)로 삼고자 하는 것은 비단 황현의 삶
과 「絶命詩」의 역사적인 의미 때문만은 아니다. 시 전편에 고뇌하는 다양
한 주체의 모습이 드러나 있다는 점에 주목할 필요가 있다. 첫수의 내용처
럼 실제로 매천은 죽음을 앞에 놓고 여러 번을 망설였다고 한다. 개인에게
주어진 삶의 가치는 나라에 대한 충(忠)이나 자율적 주체로서의 '성인(成
仁)' 못지않게 가치 있는 것임을 간접적으로 드러내는 언급이기도 하다.
그런가 하면 둘째 수에는 봉건시대, 혹은 전통시대의 주체의 모습이 확연
히 드러난다. '임금'이며 '구중궁궐', '조칙' 등의 시어에서 쉽게 파악할
수 있다. 흔히 황현의 「絶命詩」하면 대부분의 사람들은 셋째 수를 기억해
낼 것이다. 그것은 셋째 수의 내용이 일제 감정과 해방정국, 분단을 거치
면서 가장 영향력 있는 의미를 발산했기 때문으로 짐작된다. 즉 민족 주체
로서의 모습이 가장 강렬하게 드러나는 수가 바로 이 셋째 수이다. 마지막
구인 '難作人間識字人'은 현재에까지도 사회적 주체, 민족적 주체로서의
삶을 고민하는 지식인에게는 적잖은 울림을 주고 있다. 그리고 마지막 수
는 개체로서의 개인과는 다른 자율적인 주체로서의 인간의 의무와 관련된
다. '仁'은 타인과의 관계를 전제로 한다는 점은 주목할 만하다. 이처럼

---

3) 「絶命詩 4首」원문은 다음과 같다.
　　亂離滾到白頭年　幾合捐生却未然　今日眞成無可奈　輝揮風燭照蒼天
　　妖氛俺跼帝星移　九闕沉沉晝漏遲　詔勅從今無復有　琳琅一紙淚千絲
　　鳥獸哀鳴海岳嚬　槿花世界已沈淪　秋燈俺卷懷千古　難作人間識字人
　　曾無支厦半椽功　只是成仁不是忠　止竟僅能追尹穀　當時愧不蹈陳東

다양한 주체의 모습을 읽어내 수 있다는 점은 「絕命詩」가 그 작가의 의로운 죽음과 역사적 상황에서만 의미를 갖는 시가 아니라 텍스트 자체도 '근대성의 零度'로 삼을 만한 의의를 지니고 있음을 일러준다고 할 수 있다. 근대성의 영도(零度)에 관한 논의가 본격적으로 이루어질 수 있기를 기대하면서 이 글에서는 문제 제기의 차원에서 그치고자 한다.

여기에서 한 가지 간과해서는 안 될 것이 있다. 활발한 논의를 통해 매천 황현의 죽음, 그리고 「絕命詩」를 근대성의 영도(零度)로 삼는 것이 타당하다는 결론에 이르게 되었을 때에도 이것은 고정된 영도(零度)가 되어서는 안 된다는 것이다. 이와 같은 고정은 '근대의 기획'이거나 전근대에 가까운 사유를 바탕으로 할 때 가능하다. 현대가 급격하게 다변화하고 다양한 가치들이 추구되고 있듯이, 이런 현대의 가치 지향에 따라서 '영도' 역시 끊임없이 전통과 현대 사이에서 접히고 펴지면서 움직이지 않으면 안 된다. 접힘과 다시 접힘을 통해서 생기게 되는 굴곡들이 곧 근대의 지평을 여는 문이 될 것이기 때문이다.

오늘을 사는 현존재의 삶은 일렁이는 파도처럼 끊임없이 접히고 펼쳐진다. 우리의 삶은 긴장하면서 이완하고 이완하면서 긴장한다. 바슐라르는 주브(Pierre Jean Jouve)의 시를 인용해 이 접힘과 펼침의 에너지, 역동성을 다음과 같이 말한다.

바다의 파도가 가장 탐욕스러운 봉우리에서 섬광을 만들어 내기 위해서 서로서로의 물결 속으로 사라지는 것처럼
시인은 자신의 심장 아주 가까이 철펜으로 선들을 새기는 시간의 소리를 듣는다.

존재하려는 갈망이 글쓰기에서 한 존재를 솟아오르게 하고, 심리적인 돌출은 작가를 놀라게 한다. 존재의 단조로움 위에 나타나는 것은 피닉스의 순간이다. 시간에 귀 기울이면서 시인은 시간의 기적을 듣는 것이다. 피닉스는 이제 한 순간, 시적인 것의 한 순간이다.[4]

우리가 존재하려는 갈망은 글쓰기의 욕망으로 이어진다. 일상의 단조로움을 깨뜨리고 시원적인 생의 문을 열어주는 것이 바로 '피닉스의 순간'이다. 근대라는 텍스트를 불사르기 위해서는 '근대성'이라는 발화점이 필요하다. 이렇게 불탄 잿더미 속에서 날아오르는 것이 바로 '피닉스', '근대성의 피닉스'가 될 것이다. 이것이 현대가 진정으로 근대를 극복할 수 있는 열쇠가 될 수 있을 것이다.

이 근대 극복의 열쇠를 거머쥐기 위해, 근대성이라는 피닉스를 날리기 위해서 다른 담론이 아니라 왜 하필 문학이어야 하는가에 대해서 살펴볼 필요가 있겠다.

3. 왜 문학이어야 하는가

근대성 그리고 현대성에 대해 언급할 때 시간은 빠뜨려서는 안 되는 필요조건이다. 시간은 모든 존재의 기반이 되기 때문이다. 어떤 시간을 기반으로 하느냐에 따라서 현존재의 삶의 형태, 질이 달라진다고 해도 과언은 아닐 것이다. 현대인의 삶을 시간의 활용을 통해 비교 분석한 결과를 르페

---

4) 가스통 바슐라르, 『불의 시학의 단편들』(문학동네, 2004), pp.127~128)

브르는 다음과 같이 정리하고 있다.

우리가(하루, 한 주, 한 달, 일 년의) 시간을 세 개의 카테고리 즉 의
무의 시간(직업인 일을 하는 시간), 자유 시간(여가의 시간), 강제된 시
간(일 이외에 잡다하게 필요한 시간 : 교통, 교제, 수속 등)으로 나눠보
면, 강제된 시간이 점점 증가하고 있음을 알 수 있다. 강제된 시간은 일
상성 속에 자리잡고, 일상을 강제들의 총화로 규정하려 하고 있다. 현
대성은 그러므로 확실하게 여가시대로 돌입한 것은 아니다. 사실 예전
에 농업·직업, 창조적 행위 속에서 질적인 것에 연관된 〈가치들〉은 해
체되고 있다.[5]

일상성을 구성하는 시간이 삶의 질적 가치를 상승시키는 요인이 되기
위해서는 의무의 시간 즉 직업으로서 일을 하는 시간이 곧 '자아 실현'의
시간이어야 한다. 하지만 현대인의 삶은 전혀 그렇지 못하다. 르페브르의
말처럼 일상성의 시간은 '창조적 행위 속에서 질적인 것에 연관된 〈가치
들〉'을 더 이상 구성하지 못한다. '열심히 일한 당신 떠나라'는 한 카드 회
사의 광고 카피는 광고의 차원을 뛰어넘어 현대인의 삶의 단면을 보여주
고, 또 부추기고 있는 것 같다.[6] 떠나기 위해서 최선을 다해 일해야 하는

---

5) 앙리 르페브르, 앞의 책, p.95.
6) 앙리 르페브르는 광고는 오로지 소비 이데올로기만을 제공해 주는 것은 아니라고 말한다. "그것
은 있는 모습 그대로 자신을 완성시키고, 행동 속에서 자아를 실현시키고, 그렇게 함으로써 자신
의 이미지(또는 자신의 이상)와 정확히 일치하는 그런 소비적 〈자아〉의 표상이다. 따라서 광고는
물건들의 상상적 존재 위에 근거를 두고 있다. 광고는 물건의 한 등급이다. 광고는, 소비행위에
중첩되고 있고 표상에 내재적으로 들어 있는 시와 수사를 포함하고 있다."(앙리 르페브르, 위의
책, p.138)

삶이라니! 현대인의 '자기 실현' 이 얼마나 왜곡되어 있는지를 보여주는 한 예라고 할 수 있을 것이다.

그런데 더 심각한 것은 이런 일상성을 구성하는 시간과 다른 시간, 즉 의식의 시간, 내적 시간이 담론의 전면에서 어느때부턴가 사라지고 없다는 것이다. '시간' 은 서구의 철학적 전통에서 가장 중요한 주제 중의 하나였다. 아리스토텔레스의 객관시간, 아우구스티누스의 의식의 변양으로서의 시간, 칸트의 자연의 시간, 니체의 영원회귀의 시간, 베르그송의 생의 시간, 후설의 현상학적 시간, 하이데거의 현존재의 지평으로서의 시간 등을 대표적으로 들 수 있다. 그런데 오늘의 삶을 절대적으로 지배하는 일상성 속에서는 철학적 사유 역시 본질, 본원을 지향하지 못한다. 철학자들 역시 지극히 정상적인 일상인으로 살아 갈 수밖에 없기 때문이다.

> 고작해야 이 철학자들(낡은 철학을 지키려는)은 플라톤, 스피노자, 피히테 등이 〈깊이〉 생각했던 것을 드러내보여 주는 데 불과하다. 그들은 마치 사람들이 시에 관해, 또는 시 속에서 시를 쓰듯이, 그리고 소설 (또는 소설가)에 대해서, 또 연극에 대해 연극을 하듯이 그렇게 철학에 대해서, 또는 철학 안에서 철학을 한다. 도처에 담론에 대한 담론이 있다. 이것은 두 번째 등급이고 〈차가운 것〉이고, 자신의 환상을 곁들인 메타 언어이며, 자신을 새로운 것으로 자처하는 반영이다. 스스로 반영·차가움·백색, 파괴적 또는 자기 파괴적이라는 것을 알 때 오히려 이것은 가끔 어떤 새로움을 가져다 준다.[7]

---

7) 앙리 르페브르, 앞의 책, p.189.

그런데 이 새로움이라는 것은 일상인들이 느끼는, 가령 '자신의 소유물·재산·안락 속에 갇혀 있으면서 가끔 그것을 유감으로 생각하는 것' 정도를 벗어나기 힘들다. 소위 철학자라고 자처하는 사람들 거개가 삶의 대부분을 일상인으로서 살아가기 때문이다.

이런 일상성을 일거에 넘어서서 거대한 우주적 존재, 가공할 만한 존재를 도래케 하는 것은 문학적 상상력뿐이다.[8] 역사가와 시인을 헤겔은 다음과 같이 구별한다.

> 역사가는 그의 주관적인 인식에 따라서 사건에 대한 절대적인 이유와 여러 가지의 우연성을 소멸시켜 높은 차원의 필연성을 현현시키는 신적인 존재로의 깊은 통찰을 하여도 여전히 사건의 실재적인 형태에 관해서는 이 실체적 내포를 그 주장으로 삼아야 하는 시가 우선권을 가지는 것을 인정하지 않을 수 없을 것이다. 오직 시만이 주어진 소재를 내적 진실에 맞게 고치기 위해 방해를 받지 않고 그 소재를 지배할 자유를 가지고 있기 때문이다.[9]

타인 혹은 대상과의 관계를 통해서 자율성을 획득한 주체를 지향하든, 혹은 독립성을 원리로 삼아 개체화된 개별자로서의 삶을 지향하든 우리의 삶은 '어떤 조화로운 꿈꾸는 세계'에 결코 가 닿을 수 없다. 현대사회는 이 두 지향 모두를 전체의 부분, 부품으로 완벽하게 붙들어 매놓을 수 있는 거대한 기계 자체이기 때문이다. 이때 필요한 것이 바로 자체로서 완전

---

8) G. 바슐라르, 앞의 책, p.86.
9) G.W.F.헤겔, 『헤겔詩學』(열음사, 1987), p.39.

한 총체성을 지닌 시이다.

시에서는 시가 파악하는 모든 내용이 그것 자체로서 완전한 총체를 이루며, 따라서 독립된 것으로 나타난다. 이 총체는 풍부한 내용이나 광범위한 관계, 개체, 행위, 사건, 감동 및 여러 가지 사상들을 포괄할 수도 있다. 그러나 시는 이 복잡하고 방대한 것들을 그것 자체로서 완벽한 것으로, 이러 저러한 개별적인 모습 속에서 외면적으로 명백하게 드러나는 단 하나의 원칙에 의해 산출되고 활기를 얻는 것으로 전개되어야만 한다. 결과적으로 보편적인 것과 합리적인 것은 시에서 추상적 보편성과 '철학적으로' 판명된 상호 관련 혹은 '과학적' 사고에서처럼 그것들의 서로 다른 단순히 연관된 여러 측면에 의해서 표현되는 것이 아니라 생기 있고 명백하며 영혼이 깃들어 있고 모든 것을 결정하는 것으로 표현된다. 또한 동시에 모든 것을 포괄하는 통일, 활발하게 움직이는 진정한 영혼이 다만 내밀하게 외면세계에 대하여 반응하는 것과 같은 방식으로도 표현한다.[10]

삶이 파편화 될수록, 그 파편화된 것들을 교묘하게 자유의 이름으로 재조립하는 일상성의 권력은 거대해져 간다. 이 일상성을 극복하는 하나의 길을 우리는 '자체로서 자립적인 형식과 내용이 가능한 시, 문학'을 통해서 찾을 수 있을 것이다. 현대사회에서 진실에 다가갈 수 있는 유일한 길이 문학을 통해 열린다는 말은 결코 과장만은 아닐 것이다. '지평선을 닫기보다 열기 위해서는 기존의 지식(특히 언어의 수준 및 차원 분석)을 활

---

10) G.W.F.헤겔, 앞의 책, p.23.

용하는 것만으로 충분하다'[11]고 르페브르는 말한다. 이때 언어의 수준, 언어 차원의 분석에서 '언어'는 일상의 언어가 아니라 시적 언어라는 것은 두말할 여지가 없는 것이다.[12]

4. '근대의 지평' 확장을 위한 제언

우리가 언급하고 있는 '근대', '근대성'은 서구의 것이다. 그런데 오늘 우리의 일상의 삶이 바로 이 근대적 기획에 기반하고 있다는 것은 조금도 이상할 것 없는 아이러니이다. 우리가 서구의 '근대'를 발전적으로 수용하지 않으면 현대적 삶, 물질문명에 기반한 삶을 살아갈 수 없다. 그러나 도구적 이성에 의해 기획된 서구적 근대는 우리가 어쩔 수 없이 아니, 마지못해 추구해야 할 도구적 목표이지 우리의 삶이 근원적으로 혹은 최후에 지향해야할 가치일 수도 없고 가치여서도 안 된다.

시계-시간 위에서 우리의 일상을 내려놓지 않는 한, 내려 놓을 수도 없

---

11) 앙리 르페브르, 앞의 책, p.183.
12) 이것은 르페브르가 일상성이 지배하는 사회를 개그를 통한 익살의 시대로 규정하는 대목에서 확연하게 드러난다. 르페브르의 언급이다.
  "웃음과 희극성의 새로운 뉘앙스인 익살은 고전적인 웃음, 냉소, 유머와도 다르다. 상황도 행동도 웃기는 것은 없다. 어떤 특정의 상황이나 행동이 아예 없다. 익살 속에는 그런 것이 필요없다. 이야기의 〈신빙성〉도 더 이상 문제가 되지 않는다. 이런 문제는 참조대상들과 마찬가지로 사라져버린다. 이것이 커다란 안도감과 언어적인 자유의 기분을 준다. 아직 어떤 지역, 어떤 공통의 장이 남아 있다면 그것은 일상인데, 이 일상도 언어의 날갯짓 한번으로 떨쳐버릴 수 있는 것이다. 웃음은 말들에서, 오로지 말들에서만 온다. 이것이 언어적인 희극이요, 형식적인 희극이다. 동음이의어 맞추기, 두 단어 이상의 문자·음절 또는 어순을 바꿔 엉뚱한 뜻으로 만들기, 첫 자음 또는 중간 자음을 되풀이하는 자음운, 같은 모음을 연달아 쓰는 모음 압운 등을 방법적으로 사용하난 말장난의 코믹한 힘이다."(앙리 르페브르, 앞의 책, p.198) 이와 같은 언어가 진실을 담고 삶의 지평, 현존재의 지평을 확장하는 데 역할을 할 리는 만무하다.

는 현실에서 서구적 근대의 추구는 필요악일 수밖에 없다. 그러니 이와 같은 일상을 기반으로 삼아 발아하는 문학이 '위선(僞善)', '위악(僞惡)'을 주제로 삼는 것은 어쩌면 당연한 것일지도 모른다.

서양의 해체철학은 근대적 이성의 중심에 자리잡고 있던 주체의 해체를 중요한 테제로 삼고 있다. 이미 니체에 의해서 기획된 것이기는 하지만 아우슈비츠를 경험하면서 근대이성이 얼마나 파괴적인지를 직시하게 되었다. 근대에 대한 반성은 이것으로부터 본격적으로 출발했다고 해도 과언은 아닐 것이다. 그러나 서양에서도 해체철학자들의 목소리는 반성이나 보완의 필요성에 의해 수용될 뿐이지 사회 전체의 본류를 바꾸는 데까지는 이르지 못하고 있는 실정이다.

물질문명의 발전 척도로 볼 때 서양은 동양이 지향하는 미래라는 것은 부인할 수 없는 사실이다. 그런데 정신적인 측면에서도 그러한가. 일찍이 헤겔은 다음과 같이 동양 정신에 주목하고 있다.

> 동양 정신은 대체로 서양의 그것보다 - 그리스를 제외하고는 - 더 시적이다. 분화되지 않고 견고하며 실체적인 유일한 것이 동양에서는 언제나 주된 관심사였으며 이같은 견해는 비록 그것이 '이상'의 자유에로 나아가지 않는다 하더라도 처음부터 끝까지 가장 신뢰받는 것이었다.[13]

시적 대상이 되는 객관세계의 사물들은 상대적으로 의식 내적 세계의 것보다 명증성과 판명성이 뛰어나다. 좀 더 뚜렷하고 경계가 분명하다는

---

13) G..W.F.헤겔, 앞의 책, p.27.

말이다. 반면에 의식 세계의 것은 명증하기보다는 애매하고, 판명적이기보다는 모호하다. 헤겔이 말하는 '분화되지 않고 견고하며 실체적인 '유일한 것'은 바로 의식을 기반으로 삼고 있는 것이다. 신체의 눈으로 보고 확인함으로써 얻게 되는 객관성은 서구적인 믿음의 근거가 된다. 서구의 과학주의, 실증주의, 경험주의는 여기에서 비롯되었다고 해도 지나친 말은 아닐 것이다. 반면 보지 않고 믿는 것, 듣지 않고도 믿는 것이 '신뢰'다. '처음부터 끝까지 가장 신뢰 받는 것'으로서 '동양정신'은 이러한 신뢰를 기반으로 삼고 있다.

서구의 근대가 기획하고 실천하고 있는 일상성, 이 일상성을 기반으로 삼고 있는 현대인들의 삶은 두 가지 극단적인 방향을 지향한다. 그 이유는 일상생활이 순환적 시간과 합리적 시간, 곧 직선적 시간 사이의 혼합지대에서 나오는 것이 아니기 때문이라고 르페브르는 말한다.

> 오늘날 억압된 일상성에서부터 새로운 우주의 종교가 솟아나고 있다는 것을 믿게 만드는 수많은 이유들이 있다. 이 종교는 감정적으로 (비합리적으로) 양극 사이에 위치해 있다. 즉 한 쪽 끝에는 점성술이 있고 — 다른 쪽에는 우주 비행사와 그들의 신화·신화학 그들의 승리를 선전으로 활용하기, 우리 탐험과 그것이 요구하는 희생 등이 있다. 세계(또는 우주)에서 다시 소생하는 이 종교가 생겨나고 있는 것을 우리는 보는 듯하다.[14]

앙리 르페브르가 1960년대 프랑스 사회를 염두에 두고 쓴 글이다. 오

---

14) 앙리 르페브르, 앞의 책, pp.131~132.

늘의 우리 사회와 크게 다르지 않는 것 같다. 현대인의 삶은 위의 언급처럼 한 삶이 두 양극단 사이에 걸쳐 있다는 데 치명적인 위험이 도사리고 있다. 조금 다르게 보자면 하나는 합리성의 세계에 의존하는 삶이고 다른 하나는 비합리성의 세계에 의존하는 삶이다. 일상의 삶을 영위하기 위한 의무적인 시간은 철저히 과학적이고 객관적이고자 한다. 강제된 시간, 여가의 시간에는 비합리성의 세계를 쫓는 경우를 흔하게 볼 수 있다.

오늘의 사회는 다양한 계층, 다양한 가치 세계의 겹쳐짐을 통해 구성된다. 농촌을 기반으로 삼고 있는 노년의 사람들은 현재 농촌에 살든 도시에서 생활하든 장을 담글 때도 이사를 할 때도 손없는 날을 가려서 했으니 '마나'[15]는 늘 삶과 함께 한 것이다. 상품이 된 마나는 그 위력이 한층 배가 된 것 같다. 그래서 규모가 무척 클 뿐만 아니라 위력 또한 가공할 만하다. 2006년은 봄이 두 번 든 쌍춘년(雙春年)이라 해서 결혼하는 사람이 유독 많았다. 정확하게 확인된 바는 아니지만 가을 무렵에는 전세 수요가 급증하여 국가적인 부동산 정책에까지 영향을 미쳤다고 한다. 이것은 또 2007년이 600년만에 돌아오는 '황금돼지해'라 자녀가 복을 타고 태어난다는 마나로 이어진다. 국가의 출산율 장려정책에도 움쩍하지 않던 젊은 부부는 물론이거니와 장년의 부부들도 늦둥이 계획을 세우고 있다고 한다. 그런가 하면 청소년층은 '마나'를 거의 매일 사용하다시피 한다. 각종

---

15) 아도르노는 '마나'를 움직이는 정령으로 표현한다. "움직이는 정령인 '마나'는 '투사'가 아니라 실제로 막강한 자연이 원시인의 연약한 영혼 속에서 되울림을 얻는 것이다. 생명체와 비생명체의 분열, 특정한 장소에 데몬과 신령이 살고 있다는 것은 이러한 전(前)애니미즘 단계에서 처음 생겨난 것이다. 이 단계에서 '주체와 객체의 분리'의 싹이 이미 들어 있다. 나무가 더이상 단지 나무로서가 아니라 다른 것을 위한 증거로서, 즉 마나가 사는 곳으로 말해진다면, 언어는 어떤 것이 그 자체이면서 동시에 그 자체와는 다른 어떤 것, 즉 동일적이면서 동시에 비동일적인 것이라는 모순을 표현한다."(M.호르크하이머/Th.W.아도르노, 『계몽의 변증법』(문예출판사, 1996), p.40)

컴퓨터 게임에는 마법 유닛이 있어 엄청난 위력의 마법으로 적을 물리친다. 이 유닛의 단점은 필요한 때면 언제든지 마법을 쓸 수 있는 것이 아니라는 것이다. 게이지로 표시된 '마나'가 일정한 선까지 차올라야 사용 가능하다.

원시, 시원, 근원과 어울릴 법한 '마나'가 그만큼, 아니 훨씬 더 엄청난 위력을 떨치고 있는 것이 현대 사회이다. 이 현대 사회의 일상성 - 현대성을 살짝 감추기도 하고, 때로는 현대성 위에서 요동치는 -의 위력은 막강하다. 이 막강한 일상성의 위력으로부터 참된 삶을 구하기 위해서는 먼저 근원적 삶이 영위할 '지평'을 확보하는 것이 선행되어야 할 것이다. 이 지평은 '일상성'이 은폐하고 있는 진실에 다가설 때 열릴 수 있을 것이다. 진실로 들어가는 문을 폐쇄하고 있는 일상성을 움직이기 위해서는 '일상성'이 기획한 근대를 넘지 않으면 안 된다. 근대의 지평은 '영도(零度)'를 기점으로 현재까지도 그 지평을 넓힐 수 있어야 하며 겹쳐진 부분만큼 전통 속으로도 확장이 가능해야 할 것이다.

'마나'로 표상되는 전통과 객관으로 표상되는 합리성의 세계 그리고 우리의 주관적 의식 세계가 상호주관성으로서의 독립성과 자율성을 유지하면서 서로 습합되도록 하는 것은 근대의 지평을 여는 또 다른 한 방법이 될 것이다. 이 습합된 각각의 주체들이 가장 역동적으로 움직이며 의미를 생산하는 장이 바로 문학 텍스트라는 것은 재삼 강조하지 않아도 될 것이다.

마지막으로 서구의 근대와는 다른 '동양의 근대를 창출하는 것'에도 노력을 아끼지 않아야 할 것이다. 히야마 히사오의 『동양적 근대의 창출』은 이런 점에서 참고할 만한 부분이 많은 책이다. 동양에서 근대가 정초되던 시기에 살았던 루쉰과 소세키를 다룬 책에서 히사오는 '동양의 근대화'를 다음과 같이 말한다. 히사오의 말을 빌어 글을 마감하고자 한다.

내가 말하는 동양의 근대화란 독자적인 공간에서의 근대의 창출을 의미한다. 그리고 그것은 동양의 서양화와 동일한 의미가 아니다. 오랜 기간 동안 우리가 서양의 모방이 곧 근대화라 착각해 온 것은 사실이라고·하더라도, 이 착각이 우리들 자신에게 초래한 왜곡(歪曲)에 대해서는 이미 많은 사람들이 그 심각성을 깨닫기 시작했다. 근대의 초극(超克)론도 그 가운데 하나이다. 그런데 여기 일본에서 근대의 초극을 말할 때 마땅히 극복해야할 근대란 모방된 서양적 근대를 의미하는 것일 수밖에 없을 터이다.[16)]

하나만 덧붙인다. 일본은 서구를 모방했다면 우리는 일본을 모방하는 것으로부터 출발했다는 것도 간과해서는 안 될 것이다.

---

16) 히야마 히사오, 『동양적 근대의 창출』(소명출판, 2001), p.19.

호남 근대 시문학의 흐름

송병삼*

1. 들어가며

19세기 후반과 20세기 초, 과거와 전적으로 구별된다는 현재의식
(contemporary)과 과거문화와 결별하고자하는 부정의식은 근대화가 진
행되고 있던 한국에서는 특히나 강했다. 대한제국 전후로부터 20세기 초
에 경험하게 되었던 변화는 이전 조선시대 때의 '나랏님'이나 '사또나리'
가 바뀌는 정도라거나 민란이나 전쟁으로 인한 생활고가 더 지난해졌다거
나 하는 수준이 아닌 '경천동지' 할 세계(관)의 변화였다. 일상생활의 패턴
을 모두 바꾸어 버렸고, 세계에 대한 규모를 천상과 지하의 수직적인 높이
가 아니라 지구의 넓이로 상상할 수 있게 했으며, 거대하고 다양한 세상과
그 안에서 일부분을 형성하고 있는 자기 자신의 개체적 존재성을 진지하
게 사유할 수 있게 되었다. 지배계층의 문제만이 아니라 기층 민중에게도
파급되는 세계인식과 자기인식의 달라짐은 특정한 역사적 의미의 '근대'

---

* 전남대 강사

를 형성하게 했고, 그 자체로 충격적이면서 혁명적인 것으로 체험하게 되었던 것이다.

도시문명의 발달과 전국을 잇는 교통 및 통신과 매스미디어와 함께 상공업의 발달과 자본주의적 기제들의 발달은 이전 시기와 전연 다른 시간성과 공간성을 갖게 하였다. 가상의 시간 속에서 실제의 생활일과들을 진행시켰고, 상상된 동일 공간 점유의 공통성으로 인한 동류(同類)의식(민족관념이나 국가관념)은 타자를 규정하고 주체의식을 요청하게 하는 계기가 되기도 하였다.

그러나 서양의 충격과 서양 문명을 먼저 받아들여 제국주의 국가가 된 일본의 억압적 영향은 문명의 충격을 경험한 한국사회가 근대라는 새로운 세계상(世界像)의 변화에 자발적인 역량을 실험하고 발휘할 기회를 온전히 갖지 못하게 하였다. '조용한 아침의 나라', '은둔의 나라'를 세계경제 체제 하의 대류로 예외없이 휩쓸리게 했으며, 그 결과 근대체험을 식민체험과 겹쳐지게 하였던 것이다.

근대세계로 뒤늦게 초입한 한국에서 문학은 근대적 정신의 대표격으로 받아들였던 지식이고 학문이자 교양이었다. 문학은 문명화된 것으로 인식되는 서구사회와 같은 가치관을 추구하는 지식인들에게는 중요한 '근대' 적 기제였으며, 실제로 사회적이고 시평(時評)적인 담론을 형성하던 영역이었다. 그러한 이유로 문학은 수입되어 정착된 양식 자체가 근대세계의 주요한 표지(標識) 관념이 되는 미(美)라는 가치 기준을 형성하게 하는 동시에 근대를 맞이한 지식인들의 정치적인 행위를 가능하게 해주는 기능을 수행하게 한 매개체가 되었다.

또 (저항적)민족-국가 관념의 현실화가 근대화의 중요한 조건으로 여겼던 식민체험을 한 근대 지식인들은 회복해야할 주체성을 문학을 통해서 상상하였고, 근대 국가라는 민족의 신체를 갖고자하는 열망을 문학 양식에 담아 담론화하기도 하였다. 따라서 우리 근대문학은 예술적인 것이면서 정치적인 근대화 노력의 소산이었다. 생활과 정치, 그리고 예술적인 것의 합치로서의 문학한다는 행위는 근대적인 문자행위임과 일치하며, 곧 교육받은 자 또는 세계를 읽고 판단할 수 있는 자로서 인정받을 수 있다는 것을 의미하였다.

그런데 자본주의적 세계 체제 하, 식민체험을 하게 된 한국은 식민지 공업화와 산업화의 정책에 따라 도시가 발달하였고, 도시를 중심으로 한 자본의 집중화는 곧 문화의 집중화를 가져오게 되면서 내부식민화 양상을 갖게 되기도 하였다. 자본과 함께 문화 또한 끊임없이 서울로 입성하려는 식민지 근대 공간구성의 중심화 구심력으로부터 자유롭지 못했던 것이다.

문학 담론 또한 그 식민적 근대 중심화에 따라 서울 중심으로 형성되었던 것임은 분명하지만 그러나 지방에서의 문학행위, 특히 시 짓는 행위는 기존 재래적 생활방식이나 사회구성방식과 완전히 단절된 상태로 이루어지지는 않았다. 특히 호남지방은 전통적으로 시가(詩歌)적 정서가 발달한 곳으로 시 양식은 근대적이고 서구적인 것이었다. 하지만 근대세계에 대한 열망과 함께 기존 시대의 문예 전통성은 계승되었던 것이다. 이는 소설(Novel)이 순전히 근대적인 양식일 수밖에 없는 태생적 특징과는 달리 시(詩)는 어느 시대나 문명권에서건 자연발생적이고 자체 내발(內發)적인 운문양식이라는 특징 때문에 비롯된 것이기도 하다. 그리하여 호남의 근·현대시문학은 근대를 추구하면서 동시에 거부하거나 비판하기도 하고 근대세계가 거부하려는 과거 유산에서 전통을 추출해 내기도 하였던 것이다.

호남의 근·현대시문학은 시대적으로는 전통의 단절과 계승이라는 모순되고 서로 위반되는 요소를 동시에 내재하면서 형성되었다. 전통은 근대적인 정신에서 보자면 거부하고 극복해야할 것들이지만, 일제강점이라는 민족이 처한 상황에서는 계승해야하는 것이었다. 민족적 형식의 문학은 민중들과 친연성을 가져왔기 때문에 다른 어떤 담론 형식보다도 영향력이 클 수밖에 없었다. 공간적으로는 서울이 근대문물, 문화의 중심이었음으로 호남의 지식인·문학인들 역시 근대를 흡입하고자 하는 욕구가 강했던 만큼 그 촉수를 서울로 향할 수밖에 없었다. 그래서 더러는 서울의 일원이 되고자 했고, 더러는 지역 속에 활동하면서 나름의 길을 모색하는 노력도 있었다.

이러한 인식적 배경에서 근대문학이 본격화되는 시기인 1920년대와 1930년대에 등단하고 1940년대에 걸쳐 활발한 활동을 펼친 호남지역의 시문학 담당자들을 살펴보고자 하였다. 근대 호남 지역의 시인 14명에 대해서 시를 발표한 순으로 소개·열거하면 다음과 같다.

김창술(金昌述), 1903년~1950년(추정), 전주 출생,
　　　1923년 동아일보에 「反抗」 발표
조 운(1898년~?, 영광 출생,
　　　1924년 조선문단에 「웃는 채로 산에 가면」,「입추」등 발표)
신석정(1907년~1974년, 부안 출생,
　　　1924년 조선일보에 「기우는 해」 발표)
김해강(1903년~1987년, 전주 출생,
　　　1925년 조선문단에 「달나라」 발표)
이병기(1891년~1968년, 익산 출생,
　　　1927년 동광에 시조 「고향으로 돌아갑시다」 발표)
김영랑(1903년~1950년, 강진 출생,

1930년 시문학에 「동백잎에 빛나는 마음」 발표)

박용철(1904년~1938년, 광주 출생, 1930년 시문학에

　　「떠나가는 배」, 「밤 기차에 그대를 보내고」 등 발표)

김현구(1904년~1950년, 강진 출생, 1930년 시문학에

　　「님이여 강물이 몹시도 퍼렇습니다」 등 발표)

임학수(1911년~1950년, 순천출생, 1931년 동아일보에 「憂鬱」 발표)

서정주(1915년~2000년, 고창 출생, 1936년 동아일보에 「벽」 발표)

여상현(1914년~?, 화순 출생,

　　1936년 시인부락 「장」, 「호텔 앞 광장」발표)

이한직(1921년~1976년, 전주 출생,

　　1939년 문장에 「풍장」, 「북극권」, 「낙타」등 발표)

유진오(1922년~1950년, 완주 출생,

　　1945년 민중조선에 「피리소리」발표)

최석두(1917년~1951년, 함평 출생, 1948년 시집 『새벽길』 출간)

　이글에서는 이들 시인들의 시적 지향점과 정치적 경향성 등을 고려해 다섯으로 분류해 살펴고자 한다. 먼저 '시조 시인'들에서는 이병기와 조운을, '카프와 동반작가 시인들'에서는 김창술과 김해강을, 시문학파 시인들에서는 김영랑, 박용철, 신석정, 김현구를, '조선청년문학가협회의 시인들'에서는 서정주와 이한직을, '문학가 동맹의 시인들'에서는 임학수, 여상현, 유진오, 최석두의 삶과 문학을 개략적으로 살펴볼 것이다. 이 분류는 어떤 목적의식을 가지고 한 것이 아니라 시인들을 일목요연하게 소개하는 차원에서 이루어진 것이다. 시인들에 대한 소개는 주로 이미 검증된 자료들을 취합해 정리하였고, 이와 함께 시인들의 대표작 두세 편을

골라 실었다.

2. 시조 시인들

이병기(李秉岐, 1891~1968)

호는 가람(嘉藍, 柯南)이다. 전북 익산(益山)에서 출생하였다. 1910년에 전주 공립보통학교를 졸업하고 3년 뒤에 한성사범(漢城師範)학교를 졸업하였다. 그 후 전남에서 보통학교 교사를 지내면서 고문헌(古文獻) 수집과 시조연구 및 창작을 시작하였다. 1919년 중국을 여행한 직후 3·1운동을 맞으면서 근대화과정과 식민 상태에서 민족적인 것을 지켜내고 유지해야 한다는 신념을 행동으로 보이기 시작한다. 그 첫 선을 보인 것이 1921년 권덕규, 임경재 등과 〈조선어연구회〉를 조직한 것으로 일제하에서 조직적인 우리말 연구운동의 본격적인 기반을 만들었다.

1925년 어머니를 시골로 내려 보내는 심정을 노래한 「한강(漢江)을 지나며」를 《조선문단(朝鮮文壇)》지에 발표한 것이 계기가 되어 시조시인으로 출발했다. 1926년 《동아일보》에 「시조란 무엇인고」를 발표했으며, 시조문학의 구심점이 된 시조회(時調會)를 발기하면서 「율격(律格)과 시조」, 「시조와 그 연구」 등을 신문과 잡지에 발표하였다. 1939년에는 초기 작품 72편을 모아 한지(漢紙)에 엮은 『가람시조집(嘉藍時調集)』을 발간했다. 그는 민족적인 전통성을 유지할 수 있으면서 근대적인 문학 양식으로 자연스럽게 계승할 수 있는 재래의 문학 양식을 시조라고 생각했다. 그리하여 서구적인 양식의 근대시 운동 가운데 우리 민족의 개별성을 드러낼 수 있는 양식으로 시조를 부흥할 것을 제안했다. 그에게 시조는 민족적인 전통과 근대를 모두 아우르면서, 국민문학(민족문학)의 전형적 형식으로 담아낼 수 있는 문학 형식이었다.

한편, 한국고전(韓國古典)에 대한 주석 및 연구논문을 발표하여, 국문학자로서의 자리도 굳혔다. 1930년 한글맞춤법통일안의 제정위원, 1935년 조선어 표준어 사정위원이 되고 《문장(文章)》지 창간호부터 『한중록주해(恨中錄註解)』를 발표했고, 1940년에는 『역대시조선(歷代時調選)』과 『인현왕후전(仁顯王后傳)』을 간행하였다. 1942년 조선어학회(朝鮮語學會) 사건에 연루되어 피검, 함흥(咸興) 형무소에 수감되어 1년 가까이 복역하다 1943년 9월에 기소유예로 출감한 후 귀향하여 농사와 고문헌연구에 몰두했다. 광복 직후 다시 상경하여 1946년 미군정청 편찬과장, 서울대학교 문리과대학 교수 등을 역임했다. 1948년 『의유당일기(意幽堂日記)』『근조내간집(近朝內簡集)』 등을 의역하여 간행했고, 1952년 백철(白鐵)과 함께 『국문학전사(國文學全史)』를 발간하여 한국문학사를 체계적으로 정리 분석했다.

주요 작품집으로 『가람시조집』(1939)과 『현대시조선총』(1958), 『가람문선』(1966), 『석류초』(1969) 등이 있으며, 저서로는 『국문학전사(공저)』(1952), 『표준국문학사』(1956), 『국문학개론』(1981) 등이 있다.

가람 이병기의 대표작품인 「난초」는 1939년 《문장》지에 수록되었고, 『가람시조집』에 연작시로 다시 묶어 수록되었다. 「난초1」을 제외하고는 「난초2」, 「난초3」, 「난초4」가 모두 각각 2수로 구성된 연시조 형태를 취하고 있다. 가람 시조의 대표적인 작품으로 손꼽히는 이 작품은 시인이 추구하는 고결한 삶의 자세를 잘 보여주고 있다.

빼어난 가는 잎새 굳은 듯 보드랍고
자주 빛 굵은 대공 하얀한 꽃이 벌고
이슬은 구슬이 되어 마디마디 달렸다

본디 그 마음은 깨끗함을 즐겨 하여
정한 모래 틈에 뿌리를 서려두고
微塵도 가까이 않고 雨露받아 사느니라

— 「난초 4」(『문장』, 1939. 4)

가람 이병기의 첫 시조집인 『가람시조집』에는 모두 72편의 시조가 5부로 나뉘어 수록되고 있다. 1부에는 「도봉」, 「박연폭포」 등이, 2부에는 「난초」, 「수선」, 「파초」 등이, 3부에는 「그리운 그날」, 「시름」 등이, 4부에는 「석굴암」, 「부소산」, 「송광사」 등이, 5부에는 「뜰」, 「바람」, 「별」, 「구름」, 등이 있다.

짐을 매어놓고 떠나려 하시는 이날
어둔 새벽부터 시름없이 내리는 비
來日도 내리 오소서 連日 두고 오소서

부디 머나먼 길 떠나지 마오시라
날이 더물도록 시름없이 내리는 비
저으기 말리는 정은 날보다도 더하오.

잡았던 그 소매를 뿌리치고 떠나신다

갑자기 꿈을 깨니 반가운 빗소리라

매어둔 짐을 보고도 눈을 도로 감으오.

— 「비」(『가람시조집』, 1939)

바람이 서늘도 하여 뜰 앞에 나섰더니

西山 머리에 하늘은 구름을 벗어나고

산뜻한 초사흘 달이 별과 함게 나오더라

달은 넘어가고 별만 서로 반짝인다

저 별은 뉘 별이며 내 별 또한 어느 게요

잠자코 호올로 서서 별을 헤어 보노라

— 「별」(『가람시조집』, 1939)

조운(曺雲, 1898~?)

호는 정주랑(靜洲郞), 본명은 주현(柱鉉)이고 운(雲)은 필명이다. 1898
년 영광군 영광읍 도동리에서 태어났다. 목포상업전수학교를 졸업하였으
며, 1919년 영광독립만세 시위에 참가하여 만주로 피신하였다가 체포되
어 옥고를 치렀다. 영광학원의 교사이자 시인으로서 일제강점기의 사회
계몽운동에 힘썼다. 1937년 영광삐라사건으로 투옥되어 1939년에 출옥하
였다. 1922년 시조 동호회인 추인회(秋蚓會)를 결성하였으며, 1926년 프
롤레타리아문학에 대항하여 가람 이병기 등과 국민문학운동에 참여하였
으며, 8·15광복 후인 1947년에 서울로 올라와 동국대학교에서 시조론과
시조사를 가르쳤으며, 1948년에 가족과 함께 월북하였다.

1921년 동아일보에 「불살녀 주오」, 1924년 『조선문단』에 「초승달이 재

넘을 때」, 「나의 사람」 등을 발표하면서 창작활동을 시작했다. 초기에는 자유시를 썼으나 좋은 평을 얻지 못하고, 1925년 『조선문단』에 「법성포 12경」을 발표한 것을 시작으로 시조 창작에 매진하였다. 최남선, 이병기 등과 국민문학파의 입장에서 시조부흥론을 옹호했다. 특히 「병인년과 시조」(1927)에서 시조는 한국 고유의 문학형식이며, 신문학 이후 무시받다가 1925년에 부흥하게 되었다고 지적하면서 시조에 대한 자신의 입장을 밝히고 있다. 이후 「어머니의 회갑에」, 「사향」, 「해」 등 초모의 정과 정열의 정서를 담은 시조작품을 발표하였다. 『조선시인선집』에 「이 세기의 시인아」 등 5편이 수록되었으며, 『현대서정시선』에는 「이몸은」, 「향촉」, 「무제」 등 3편이 실려 있다. 광복과 더불어 조선문학가동맹에 가입하여 시부위원회에서 활동하였으며, 『연간조선시집』에 시를 발표하기도 했다. 1947년에는 『조운 시조집』을 발간하였고, 1949년 『민성』에 「갓옷 말아 안고」를 발표하였다.

1988년 월북문인에 대한 해금 조치 이후 문학사적 위치가 재조명되어, 1990년 9월에 유족과 영광 지역 예술인들이 중심이 되어 『조운문학전집』을 출간하였으며, 2000년 7월에는 탄생 100주년 기념사업회가 주관하여 『조운시조집』을 복간하였다. 이 시조집에는 1947년의 초판본에 수록된 작품들과 그 후에 발표한 시조 및 자유시가 망라되었다. 탄생일에 맞추어 고향인 영광 지역에 시비(詩碑) 제막식을 갖기로 하였으나 훼손되는 우여곡절을 겪은 끝에 2000년 9월에 제막식을 가졌다.

조운은 생활에서 느끼고 경험한 구체적인 소재를 고어투가 아닌 일상어를 주로 사용함으로써 재래의 양식인 시조에 현대적인 율격과 내용을 갖추도록 만들었다. 시조를 봉건시대의 유산으로 여기던 의식에서 벗어나 시조 특유의 전통적 운율을 잘 살리면서 우리 민족의 서정과 정감이 배어 있는 작품들을 발표하였다는 평가를 받기도 한다. 대표적인 작품에 사설시조의 전형으로 꼽히는 「구룡폭포」를 비롯하여 「석류」, 「파초」 등이 있다.

사람이 몇 겁이나 닦아야 물이 되며 몇 劫이나 轉化해야 금강에 물이 되나! 금강에 물이 되나!

샘도 江도 바다도 말고 玉流 水簾 眞珠潭 다 고만 두고 구름 비 눈과 서리 비로봉 새벽 안개 풀끝에 이슬 되어 구슬 구슬 맺혔다가 連珠八潭 함께 흘러

九龍淵 千尺絕崖에 한번 굴러 보느냐.
　　　　　－「九龍瀑布」(『조운시조집』, 1947)

투박한 나의 얼굴
두툴한 나의 입술

알알이 붉은 뜻을
내가 어이 이르리까

보소라 임아 보소라
빠개 젖힌
이 가슴.
　　　　　－「석류」(『조운시조집』, 1947)

넌지시 알은 체 하는

한 작은 꽃이 있다

길가 돌담불에

외로이 핀 오랑캐꽃

너 또한 나를 보기를

나

너 보듯 했더냐

   – 「오랑캐꽃」(『조운시조집』, 1947)

3. 카프와 동반작가 시인들

김창술(金昌述, 1903~1950 추정)

호는 야인(野人)이다. 1903년 전북 전주에서 태어났다. 노동을 하면서 독학을 하였다고 하지만 정확한 행적에 대해서 알려져 있지 않다. 1924년 조선일보에 시 「여명의 설움」, 「허무」 등을 발표하였고, 1925년 『개벽』에 「대도행(大道行)」, 「촛불」, 「긴 밤이 새여지이다」 등과 『조선일보』에 「문 열어라」를, 동아일보 신춘문예 시 부문에서 「봄」이 입선하면서 본격적으로 작품활동을 시작했다.

1926년 「효」, 「전선으로」와 1927년 「지형을 뜨는 무리」, 「무덤을 파는 무리」 등을 통해 새로운 시대에 대한 열망을 표현하기도 하였다. 1930년 대 초반까지 「끓는 유황」, 「우리는 어찌해 졌는가」 등의 목적의식이 강한 시를 썼으나, 이후에는 작품활동이 보이지 않는다.

조선프롤레타리아예술가동맹(KAPF) 회원으로 활동하였으며, 임화·박아지·박세영 등과 함께 초기의 생경한 구호 차원에서 벗어나 본격적인 프롤레타리아 시를 창작하기 시작하였다는 평가를 받기도 하였다. 『개벽』에 발표한 「촛불」(1925)은 신경향파의 주요 작품으로 꼽히며, 「긴 밤이 새여지이다」와 「전선으로」 등에서는 직설적·관념적이기는 하지만 궁핍하고 억압적인 현실에 대한 부정과 반항을 강하게 드러내었다. 이밖에 노동자와 농민의 생활을 묘사한 「오월의 훈기」, 「앗을 대로 앗으라」 등 50여 편의 작품을 남겼다. 1931년 임화·박세영·권환·안막 등 카프 회원들과 함께 《카프시인집》을 펴냈고, 1938년 동향인 김해강과 공동으로 시집 《기관차》를 펴냈으나 일제의 출판금지 조치로 발간되지 못하였다. 또 시집으로 『열과 광』 등이 있었다고 하나 확인할 수 없다.

김창술은 사회주의의 영향을 받아 성장하는 노동자와 농민들의 의식을 문학적으로 형상화한 시를 주로 제작하였다. 일제의 강점된 조선에도 '봄', '새벽'이 오고 있다는 역사 발전의 원리와 함께 진보적 사회운동가로서의 현실 인식을 작품 곳곳에서 보이고 있다. 1920년대 후반 1930년대 전후로 해서 무산대중의 이념을 직설적으로 드러내는 시를 주로 발표하였고, 형식미보다는 내용전달을 위주로 하는 경향파시의 일반적 특징을 잘 보여준다.

> 나도 사람이외다
> 피와 살과 뼈가 다 같은 사람이외다
> 같으면 왜? 평등이 아니라해요
> 白丁놈이란 무엇입니까

쌍놈이란 무엇입니까

나도 인격이 있어요! 개성도 있구요

나는 반항합니다 내 생명 내 생명 때문에

올소이다! 白丁!

白丁이란 내 이름이외다!

당신이 부르든……내 이름이구요

내 육체는 떨니었지요

마음쓰림은 내 마음 쓰림은……

아! 나는 反抗하여요

絶對平等을 부르짖으며

階級이라는 强盜를 破滅시키기로……

　　　　　– 「反抗」(동아일보 , 1923. 8. 26)

보드라운 어여쁜 손이 거문고 줄 위에 지나갈 때마다

곱고도 아름다운 旋律의 물결이 굽이치며 떠돌아 간다

누르고 뛰는 줄댄 손이 움직일 때

희망의 哀愁가 영원의 환상이

내 마음을 흔들고 내둘러댄다

지금은 밤이다 캄캄한 그믐밤이다

적적하고 쓸쓸한 이러한 밤에

거문고 타고 不通精의 색시야

왜 그리 요염을 떠느냐

그리워하는 哀愁의 音調가 내 가슴을 스치고 갈 때

나는 참으로 懊惱에 탄다 자리에서 궁글고 만다

사랑에 타는 가슴을 붙들고
이리로 오라 이 바깥으로 나오라
意味있는 듯이 끔벅거리는 별들을 보오니
애타는 눈물이 스러집니다.

– 「거문고」(조선일보, 1925. 2. 23)

닭이 울다
새벽을 재촉하는 닭이 울다

지새는 달그림자 고요히
잠들은 땅을 빛외는데
지저지게 닭이 울다 울다

쫓기여 가는 어둠은 몸부림하나
이 마을의 새벽을 안고 꼬끼요 운다
치움에 떠는 이 마을의 마음아!
새벽을 맞이하는 이 마을의 마음아!

– 「쫓기여 가는 어둠」(조선문단, 1927. 2.)

김해강(金海剛, 1903~1984)

본명은 대준(大駿)이고, 해강(海剛)은 필명이다. 1903년 4월 16일 전북 전주에서 천도교 전주교구 종리원장의 장남으로 태어났다. 1922년 전주

신흥학교를 마치고, 1925년 전북 공립사범학교(전주사범학교)를 졸업한 뒤 진안국민학교 등 각지에서 초등학교 교사를 지내다 광복 후 전주사범학교, 전주고등학교 등에서 교육자로 평생을 보내면서 시를 썼다. 예총 전북지부장을 지낸 바 있고, 전북문화상과 전주시장을 수상한 바 있다.

1925년 11월 《조선문단》에 「달나라」가 당선된 후, 이듬해 「흙」, 「무너진 옛 성터에서」를 발표하면서 등단하였다. 1926년부터 《조선지광》 등에 「출범의 노래」, 「오월의 노래」와 같은 신경향파 시를 발표했으며, 1927년 「새날의 기원」으로 《동아일보》 신춘문예 시 부문에서 박아지와 함께 다시 당선되었다. 1930년대에는 《대중공론》, 《동광》 등에 「변절자여! 가라」, 「누나의 임종」과 같은 프로시를 썼다. 1936년 《시건설》 동인으로 참여하기도 하고, 1938년 동향인 김창술과 공동으로 첫 시집 《기관차》를 펴냈으나 일제의 검열에 따른 출판금지 조치로 발간하지 못하였다. 그러다 1940년 친구 김남인(金南人)과 함께 2인 시집 『청색마(靑色馬)』를 펴냈다. 일제강점기의 현실에 맞서는 저항시를 썼으나 일제 말기에 「아름다운 태양」 등의 친일적인 시를 쓰기도 하였다. 그 후 8·15광복 후 한동안 절필하였다가 1950년대 중반부터 순수시의 세계로 방향을 바꾸어 작품활동을 재개하여 『동방서곡(東方曙曲)』(1968), 『기도하는 마음으로』(1984) 등의 시집을 남겼다. 대표 시로는 「학으로만 살아야 하는가」, 「동방서곡」 등이 있으며, 전라북도 도민의 노래를 작사하기도 하였다. 전주시 덕진동의 덕진공원에 시비(詩碑)가 조성되어 있다.

김해강은 문학활동 초기, 즉 조선프롤레타리아예술가동맹(KAPF)을 중심으로 프롤레타리아문학운동이 왕성하던 때에는 신경향파 또는 프로시 경향의 시세계를 보였다. 그러나 문학활동 후기인 광복 후부터는 순수시 경향의 시세계를 보였다.

김해강의 초기시가 주로 노동자, 농민들의 투쟁과 삶을 민족운동의 차
원에서 표현하고 있다면, 후기시는 인간과 자연의 교감을 통한 한국의 전
통적 서정 세계를 작품에 담았다.

눈이 부시게 햇빛은 강하다!

풀 잎사귀 나뭇잎 그림같이 가만히 있다

하늘엔

탐스럽게 피어오른 면화송이와 같이

뭉텅이 뭉텅이 흰 구름이

뭉게뭉게 피어오르다가

가만히 퍼져, 스르르 없어지고 만다!

울타리에 감긴 호박 넌출의 잎사귀는

싸움에 지쳐 쓰러진 여편네의

늘어진 머리털처럼 시들어 있다!

더위의 위력은 모든 소리조차 葬事하고 말았다.

아무 소리도 나지 않는다!

바람조차 죽었다!

다만 맴맴거리는 매암이 소리만이 역시 더위를 뿜어내는 듯!

무겁게 드릴 뿐이며

짹짹거리는 참새소리만이

오직 생기가 있는 듯하다.

여름의 한낮은 더위의 무덤인가?

— 「한낮」(조선일보 , 1925. 8. 21)

흰 구름 點點한 푸른 하늘 아래

오르락내리락

종달새는 노래하는데

신록이 우거진

저 보리밭 푸른 언덕에

배불리 가만히 누워

'움머-'하며 풀 뜯는 송아지 한 마리

들 가운데 촬촬거리며

깨끗이 흐르는 시냇물 가

푸른 버들가지는

가는 바람에 너울거리는데

고운 목청을 자랑하여 노래하는 누른 꾀꼬리!

서늘한 맑은 물에

깨끗이도 헤엄치는 적은 고기떼!

소 타고 피리 불고 가던 목동의 노래는

煙霞에 잠긴 저편 산모퉁이로 사라져 가는데

시냇물 모래 위에 조개를 줍는 두셋의 소녀

이따금 바람결에 들리는

부드러운 속살거림이여!

　　　- 「첫 여름의 들빛」(조선일보, 1926. 6. 1)

木蓮이 피었에요. 저기 저렇게 하얀 木蓮이 피었에요.

머언 옛날 어느 달밝은 밤이었더라우.

銀두레박을 타고 내려 온 세 仙女가 江에서 沐浴을 하다가 沐浴을 마치고 하늘을 오르려는데, 맨 나중 江가에 벗어 놓은 치마를 잊어버려 하늘을 오르지 못한 세쨋번 仙女는, 그 밤부터 하늘 속 푸른 故鄕이 그리워서, 슬픈 歲月 달밝은 밤이면 울기만 하더니, 저기 저렇게 하얀 木蓮이 피었더라우.

저기 저렇게 하얀 木蓮이 피면, 木蓮 밑에서 누나와 나는 그 이야기를 하며 해가 지도록 밤이 새도록 울기도 했더라우.

그러더니, 누나가 원삼 입고, 족두리 쓰고, 가기 싫어하던 시집을 가던 날이 바로 木蓮이 피던 날이었고,

〈네가 보고파서 왔단다. 木蓮이 처음 피던 날, 내가 너에게 들려주던 이야기가 슬프듯이, 木蓮이 필 때면 내 마음은 슬프기만 하단다.〉

─ 하고, 이듬해 봄, 누나가 왔다 가던 날도 木蓮이 피던 날이었고, 그 이듬 이듬해 역시 같은 봄 누나가 그만 달내江 물에 풍덩 몸을 던져, 꽃가마 타고 하늘 속 푸른 나라로 고개 고개 너머, 마지막 길을 떠나던 날도 木蓮이 피던 날이었더라우.

木蓮花 밑에 서서, 금시 별들이 쏟아질 것만 같은 하늘 푸른 바탕에, 차분히 피어 있는 하얀 木蓮을 바라보노라면
송이송이 눈부신 누나의 슬픈 모습이, 훨훨 하늘을 나르는 흰 나비로 흰 나비로…… 흰 무지개를 띠고 활활 타오르는 흰 나래를 펼쳐, 훨

훨 하늘을 나르는 흰 바비로 흰 나비로……

아 울어도 울어도 붙잡지 못하는, 훨훨 하늘을 나르는 흰 나비로 흰
나비로……

눈물에 젖은 香氣에 실려, 하늘 속 푸른 나라가 그리워서, 저렇게만
저렇게만 훨훨 하늘을 나르는 흰 나비로 흰 나비로……

그래, 이 봄에도 木蓮이 피었나봐요.

저기 저렇게 하얀 木蓮이 피었나봐요.

－「木蓮說話」(『동방서곡』, 1968)

4. 《시문학》의 시인들

김영랑(金永郎, 1903~1950)

본명은 윤식(允植), 영랑(永郎)은 아호이다. 1903년 1월 전남 강진(康
津)에서 출생하였다. 부유한 지주의 가정에서 한학을 배우면서 자랐고,
1915년 강진보통학교를 졸업하고 조선중앙기독교청년회관에서 영어를
공부하고 난 후 1917년 휘문의숙(徽文義塾)에 입학하면서 문학에 뜻을 두
기 시작했다. 휘문의숙 선배인 홍사용, 안석주, 박종화 등과 동급반의 화
백 이승만, 후배인 정지용, 이태준 등으로부터 직·간접적인 도움을 받았다
고 한다. 휘문의숙 3학년 때인 1919년에 3·1운동이 일어나자 고향 강진으
로 내려가 의거하려다 체포되어 6개월 간 옥고를 치르기도 했다. 이듬해
에 일본으로 건너가 아오야마(靑山)학원에 입학하여 중학부와 영문과를
거치는 동안 C.G.로세티, J.키츠 등의 시를 탐독하여 서정의 세계를 넓혔

다. 1923년 일본의 관동대지진으로 학업을 중단하고 돌아와 고향인 강진에 머물렀다. 일제강점기 말에는 창씨개명(創氏改名)과 신사참배(神社參拜)를 거부하는 저항 자세를 보여주었고, 8·15광복 후에는 민족운동에 참가하는 등 자신의 시의 세계와는 달리 행동파적 일면을 지니고 있기도 하였다. 광복 후 오랜 은거생활을 벗어나 강진에서 우익운동을 주도하였고, 대한 독립촉성회에 관여하여 강진대한청년회 단장을 역임하기도 하였다. 1948년 제헌국회의원 선거에 낙선하고 상경하여 공보처 출판국장을 지내기도 하다가 1950년 9·28 서울 수복 당시 서울에 머물러 있다가 유탄에 맞아 사망하였다. 광주공원과 강진읍에 시비가 조성되어 있다.

김영랑은 1930년 3월 박용철(朴龍喆)·정지용(鄭芝溶) 등과 함께 『시문학(詩文學)』 동인으로 참가하여 동지에 「동백잎에 빛나는 마음」, 「언덕에 바로 누워」, 「쓸쓸한 뫼 앞에」, 「제야(除夜)」 등 6편과 「사행소곡(四行小曲)」 7수를 발표하면서 본격적으로 시작(詩作) 활동을 시작하였다. 이어 『내 마음 아실 이』, 『가늘한 내음』, 『모란이 피기까지는』 등의 서정시를 계속 발표하였고, 1935년에는 첫째 시집인 『영랑시집(永郎詩集)』을 간행하였다. 그 외 1930년대 의 다수 잡지에 창작시와 번역시, 수필, 평문 등을 발표하였다. 시집으로 『영랑시집』(1935)과 자선시집 『영랑시선』(1949) 등이 있다.

영랑의 시세계는 크게 세단계로 구분된다. 『영랑시집』 초판 수록 시편들은 '슬픔'이나 '눈물'의 용어가 수없이 반복되지만 그 비애의식이 영탄이나 감상으로 끝나지 않고 '마음'의 내부로 향해져 서정적 정감의 시세계를 이루고 있다. 두 번째 단계인 1940년을 전후로 발표된 「거문고」, 「독을 차고」, 「망각」, 「묘비명」 등의 작품 등에서는 시형의 변모와 함께 인생에 대한 깊은 회의와 죽음의식이 드러나 있다. 끝으로 광복 후에 발표된

「바다로 가자」, 「천리를 올라온다」 등의 후기 시에서는 일제 치하의 강박에서 벗어나 현실에 짙은 관심과 참여의 의욕을 보여주고 있다.

"오매, 단풍 들것네."
장광에 골 붉은 감잎 날아와
누이는 놀란 듯이 치어다 보며
"오매 단풍 들것네."

추석이 내일 모레 기둘리리
바림이 자지어서 걱정이리
누이의 마음아 나를 보아라.
"오매, 단풍 들것네."
— 「오매 단풍 들것네」(《시문학》창간호, 1930. 3)

돌담에 속삭이는 햇발같이
풀 아래 웃음 짓는 샘물같이
내 마음 고요히 고운 봄길 위에
오늘 하루 하늘을 우러르고 싶다

새악시 볼에 떠오는 부끄럼같이
詩의 가슴에 살포시 젖는 물결같이
보드레한 에메랄드 얇게 흐르는
실비단 하늘을 바라보고 싶다
— 「돌담에 속삭이는 햇발」(《시문학》2호, 1930. 5)

모란이 피기까지는

나는 아직 나의 봄을 기둘리고 있을 테요

모란이 뚝뚝 떨어져버린 날

나는 비로소 봄을 여읜 설움에 잠길 테요

오월 어느 날 그 하루 무덥던 날

떨어져 누운 꽃잎마저 시들어버리고는

천지에 모란은 자취도 없어지고

뻗쳐오르던 내 보람 서운케 무너졌느니

모란이 지고 말면 그 뿐 내 한 해는 다 가고 말아

삼 백 예순 날 하냥 섭섭해 우옵네다

모란이 피기까지는

나는 아직 기둘리고 있을 테요 찬란한 슬픔의 봄을

– 「모란이 피기까지는」(『문학』 3호, 1934. 4)

박용철(朴龍喆, 1904~1938)

호는 용아(龍兒). 1904년 6월 전남(현재 광주) 광산(光山)에서 출생하였
다. 광주(光州)공립보통학교를 마치고 1916년 휘문의숙(徽文義塾)에서 배
재의숙(培材義塾)으로 진학했다가 졸업 직전에 자퇴하고 일본으로 건너가
아오야마(靑山)학원 중학부를 졸업했다. 그곳에서 1923년 동경 외국어학
교 독문과에 입학하였으나, 관동대지진으로 다시 학업을 중단하고 귀국하
여 연희전문에 입학하였다. 이때 위당(爲堂) 정인보로부터 '시조'를 배우
기도 했다.

1930년 김영랑, 정지용 등과 순수시 전문지인 《시문학》을 창간하고
「떠나가는 배」,「밤 기차에 그대를 보내고」, 「싸늘한 이마」, 「비 내리는 밤」

등을 발표하면서 문단에서 본격적으로 활동하였다. 1931년 《문예월간》을 창간했으며, 1934년엔 순문예지 《문학》을 창간하면서 당시 계급문학의 이데올로기와 모더니즘의 경박한 기교에 반발하며 문학의 순수성 추구를 표방했다.

『문학』이 재정난으로 3호까지 내고 종간(終刊)한 이후 그는 시 창작보다는 번역에 주력했으며 신식 연극 활동과 평론활동을 하기도 하였다. 실러의 시 「헥토르의 이별」, 하이네의 시 「내 눈물에서는」 등을 《시문학》에 번역해 실었고, 해외문학파와 극예술연구회 회원으로서 『인형의 집』을 비롯하여 『빈의 비극』, 『바보』, 『베니스의 상인』 등의 희곡을 번역했다. 또, 임화와 김기림 등과 소위 기교주의 논쟁을 불러일으킨 「올해시단총평」(1935), 「기교주의설의 허망」(1936) 등의 평론과 「효과주의 비평논강(效果主義批評論綱)」(1931), 「시적 변용(詩的變容)에 대하여」(1938) 등을 발표하였다.

「시적 변용에 대하여」는 시 창작과정에 대한 매우 정치한 이론화라는 점에서 주목할 수 있다. 시문학파를 당대의 다른 유파와 구별하는 이론적 틀을 제공하고 있는 셈이다. 박용철은 시가 단순한 목적이나 기교로만 이루어지는 것이 아니라, 시인을 둘러싼 세계에 대한 온갖 체험들을 시인이 자신의 피 속에 용해시키는 과정을 통해서 이루어진다고 보았다. 그러나 그의 시론에서 말하는 '시적변용'은 용아 자신의 시에서보다 정지용과 김영랑의 시에서 성취되었다는 평가를 받기도 하였다.

박용철 사후 1939년 시문학사에서 전 2권으로 『박용철 전집』이 간행되었다. 1권은 72편의 창작시와 함께 다수 번역시를 묶은 시집이고 2권은 시론 및 평론과 수필, 번역 희곡 등을 묶은 산문집이다.

그의 주요 작품인 「떠나가는 배」는 1930년 3월 《시문학》에 발표된 시

로 젊은 화자가 떠나가는 사연을 통해 서러운 마음을 극복하려는 몸짓을
보여주고 있다. 어두운 시대를 감지한 자취가 있는 특징은 박용철의 시를
다른 시문학파 시인들의 시편들과 구별짓게 하는 것이기도 하다. 감정의
절제를 통한 시적 응축을 통해 '시적변용'에 이르지 못하는 감상적인 어
사를 반복되기도 하여 센티멘탈한 분위기를 내고 있음을 볼 수 있다.

나 두 야 간다
나의 이 젊은 나이를
눈물로야 보낼 거냐.
나 두 야 간다.

아늑한 이 항군들 손쉽게야 버릴 거냐.
안개같이 물 어린 눈에도 비치나니
골짜기마다 발에 익은 묏부리 모양
주름살도 눈에 익은 아아 사랑하는 사람들.

버리고 가는 이도 못 잊는 마음
쫓겨가는 마음인들 무어 다를 거냐.
돌아다보는 구름에는 바람이 혜살짓는다
앞대일 언덕인들 마련이나 있을 거냐.

나 두 야 가련다.
나의 이 젊은 나이를
눈물로야 보낼거냐.

나 두 야 간다.

ㅡ 「떠나가는 배」(《시문학》 창간호, 1930. 3)

설만들 이대로 가기야 하랴마는
이대로 간단들 못 간다 하랴마는

바람도 없이 고이 떨어지는 꽃잎같이
파란 하늘에 사라져버리는 구름쪽같이

조그만 열로 지금 수떨이는 피가 멈추고
가는 숨길이 여기서 끝맺는다면 ㅡ

아 ㅡ 얇은 빛 들어오는 영창 아래서
차마 흐르지 못하는 눈물이 온 가슴에 젖어 내리네

ㅡ 「이대로 가랴만은」(《시문학》 창간호, 1930. 3)

1
온전한 어둠 가운데 사라져버리는
　한낱 촛불이여.
이 눈보라 속에 그대 보내고 돌아서 오는
　나의 가슴이여.
쓰린 듯 비인 듯한데 뿌리는 눈은
　들어 안겨서
발마다 미끄러지기 쉬운 걸음은

자취 남겨서.

머지도 않은 앞이 그저 아득하여라.

2

밖을 내여다보려고 무척 애쓰는

　그대도 설으렸다.

유리창 검은 밖에 제 얼굴만 비쳐 눈물은

　그렁그렁하렸다.

내 방에 들면 구석구석이 숨겨진 그 눈은

　내게 웃으렸다.

목소리 들리는 듯 성그리는 듯 내 살은

　부대끼렸다.

가는 그대 보내는 나 그저 아득하여라.

3.

얼어붙은 바다에 쇄빙선같이 어둠을

　헤쳐나가는 너.

약한 정 후리쳐 떼고 다만 밝음을

　찾어가는 그대.

부서진다 놀래랴 두 줄기 궤도를

　타고 달리는 너.

죽음이 무서우랴 힘있게 사는 길을

　바로 닫는 그대.

실어가는 너 실려가는 그대 그저 아득하여라.

4

이제 아득한 겨울이면 머지 못할 봄날을

　나는 바라보자.

봄날같이 웃으며 달려들 그의 기차를

　나는 기다리자.

'잊는다' 말이들 어찌 차마! 이대로 웃기를

　나는 배워보자.

하다가는 험한 길 헤쳐가는 그의 걸음을

　본받어도 보자.

마침내는 그를 따르는 사람이라도 되어보리라.

                    ─ 「밤기차에 그대를 보내고」(《시문학》 창간호)

신석정(辛夕汀, 1907~1974)

　본명은 석정(錫正)이다. 호는 석정(夕汀, 石汀, 釋靜)이고 필명은 석지영(石志永), 호성(胡星), 소적(蘇笛), 서촌(曙村) 등이다. 1907년 7월 전북 부안(扶安)에서 출생했다. 보통학교를 졸업하고 상경하여 중앙불교전문강원에서 약 1년간 불전(佛典)을 연구하였다. 1931년 『시문학』 3호부터 동인으로 참여하면서 「선물」을 발표하여 등단하였다. 「그 꿈을 깨우면 어떻게 할까요」, 「나의 꿈을 엿보시겠읍니까」, 「봄의 유혹」, 「어느 작은 풍경」 등의 목가적인 서정시를 발표하여 전원시인, 목가시인으로 평가받았다.

　주옥 같은 전원시가 주류를 이룬 첫 시집 『촛불』(1939)과, 8·15광복 전의 작품을 묶은 두 번째 시집 『슬픈 목가(牧歌)』(1947), 그 뒤 계속 『빙하(氷河)』(1956), 『산의 서곡(序曲)』(1967), 『대바람 소리』(1970) 등의 시집을 간행했다. 『촛불』에서는 하늘, 어머니, 먼나라로 표상되는 동경을 향한 희구를 천진스러운 어린아이의 시선으로 그려내고 있다. 『슬픈목가』에서는 어머니라는 상징어에 기댄 모습은 줄어들고 현실의 눈으로 돌아오지만 상실감으로 바뀌어 드러나고 있다. 이후 시집들에서는 삶의 체험을 구체적으로 보여주면서 역사의식이 도드라져 주제의식이 문학적 심미성에 선행하는 경향을 보이다가 말년의 시집에서는 초기 서정시의 세계로 복귀하는 모습을 보여준다.

신석정은 노장철학과 도연명의 「귀거래사」, 「도화원기」의 영향을 받았고, H.D.쏘로우를 좋아했다고 한다. 김기림에 의해서 현대문명의 잡답을 멀리 피한 곳에 한 개의 유토피아를 흠모하는 목가적 시인이라는 평가와 함께 반세속적이며 자연성을 고조한 동양적 낭만주의에 입각한 시를 썼다는 평가를 받기도 했다. 비참한 현실에 대한 강한 거부가 초월적이고 본원적인 실재에 대한 강한 희구로 나타나고 있는 것을 볼 수 있는데 이러한 희구는 전원적, 자연친화적 이상향에 대한 시적 열망으로 그려져 잔잔한 전원적인 정서를 음악적인 리듬에 담아 노래하는 데 특색을 보이고 있다. 그 맑은 시정(詩情)은 읽는 이의 마음까지 순화시키는 감동적인 호소력을 지니고 있다.

저 재를 넘어가는 저녁 해의 엷은 광선들이 섭섭해합니다.
어머니, 아직 촛불을 켜지 말으셔요.
그리고 나의 작은 명상의 새새끼들이
지금도 저 푸른 하늘에서 날고 있지 않습니까?
이윽고 하늘이 능금처럼 붉어질 때
그 새새끼들은 어둠과 함께 돌아온다 합니다.

언덕에서는 우리의 어린 양들이 낡은 녹색 침대에 누워서
남은 햇볕을 즐기느라고 돌아오지 않고
조용한 호수 위에는 인제야 저녁 안개가 자욱히 내려오기 시작하였
습니다.
그러나 어머니, 아직 촛불을 켤 때가 아닙니다.
늙은 산의 고요히 명상하는 얼굴이 멀어 가지 않고
머언 숲에서는 밤이 끌고 오는 그 검은 치맛자락이
발길에 스치는 발자욱 소리도 들려 오지 않습니다.

멀리 있는 기인 둑을 거쳐서 들려 오던 물결 소리도 차츰차츰 멀어
갑니다.
그것은 늦은 가을부터 우리 田園을 방문하는 까마귀들이
바람을 데리고 멀리 가 버린 까닭이겠습니다.
시방 어머니의 등에서는 어머니의 콧노래 섞인
자장가를 듣고 싶어하는 애기의 잠덧이 있습니다.
어머니, 아직 촛불을 켜지 말으셔요.
인제야 저 숲 너머 하늘에 작은 별이 하나 나오지 않았습니까?

　　　　　 － 「아직은 촛불을 켤 때가 아닙니다」(조선일보, 1933. 11. 30)

蘭이와 나는
산에서 바다를 바라보는 것이 좋았다.
밤나무
소나무
참나무

느티나무

다문다문 선 사이사이로 바다는 하늘보다 푸르렀다.

蘭이와 나는

작은 짐승처럼 앉아서 바다를 바라보는 것이 좋았다

짐승같이 말없이 앉아서

바다같이 말없이 앉아서

바다를 바라보는 것은 기쁜 일이었다.

蘭이와 내가

푸른 바다를 향하고 구름이 자꾸만 놓아 가는

붉은 산호와 흰 대리석 층층계를 거닐며

물오리처럼 떠다니는 청자기 빛 섬을 어루만질 때

떨리는 심장같이 자지러지게 흩날리는 느티나무 잎새가

蘭이의 머리칼에 매달리는 것을 나는 보았다.

蘭이와 나는

역시 느티나무 아래에 말없이 앉아서

바라보는 순하디 순한 작음 짐승이었다.

- 「작은 짐승」(『문장』7호, 1939. 8.)

나와

하늘과

하늘 아래 푸른 산뿐이로다.

꽃 한 송이 피어 낼 지구도 없고

새 한 마리 울어 줄 지구도 없고

노루새끼 한 마리 뛰어다닐 지구도 없다.

나와

밤과

무수한 별뿐이로다

밀리고 흐르는 게 밤뿐이오,

흘러도 흘러도 검은 밤뿐이로다.

내 마음 둘 곳은 어느 밤하늘 별이드뇨.

- 「슬픈 구도」(《조광》 48호, 1939. 10)

김현구(金玄鳩, 1904~1950)

본명은 현구(炫耈). 1904년 전남 강진에서 출생하였다. 항렬상 같은 김
해 김씨 집안인 김영랑의 조카뻘로 영랑과 함께 향교인 관서제에서 한문
을 배운 뒤 강진보통학교를 졸업하고 1920년 배재학당에 입학했다가 중
퇴하고 일본유학을 갔다가 도중에 돌아왔다. 박용철과 김영랑의 천거로
1930년 『시문학(詩文學)』 2호에 「님이여 강물이 몹시도 퍼렷습니다」, 「물
위에 뜬 갈매기」, 「거룩한 봄과 슬픈 봄」, 「적멸(寂滅)」 등 4편을 발표하고,
그 뒤 용아 박용철이 간행한 《문예월간(文藝月刊)》과 《문학(文學)》지를 통
해 1934년 4월까지 8편의 시를 더 발표하였다. 《문학》이 3호로 종간되고
시문학파가 해체한 이후 고향 강진으로 돌아와 칩거하면서 계속 시를 썼
으며, 그것을 묶어 『무상(無常)』이라는 제목의 시집 발간을 준비했으나

1950년 6·25전쟁 중에 사망함으로써 빛을 보지 못했다.

1970년에 아들 김원배(金元培) 등 유족과 임상호씨를 비롯한 현구기념 사업회에 의해 『현구시집(玄鳩詩集)』(유고 70편, 발표작 12편 등 82편 수록)이 비매품으로 만들어져 출판되었다. 1992년 강진군립도서관 앞 영랑 시비가 마주 보이는 자리에 현구시비가 세워졌다.

김현구는 김용직(金容稷)과 김학동(金東) 등의 연구논문에 의하면 김영랑, 박용철과 함께 시문학파의 문학적 이념을 충실하게 구현한 순정한 시문학파였다. 시세계 또한 영랑과 대단히 유사한 특성을 지니면서도 영랑의 귀족적인 시적 소재에 반해 서민적인 소재로 감각적인 시어를 구사하는 변별적인 특징을 지닌 시인이었다.

김현구의 시는 대표적인 간판시가 없지만 또한 졸작도 없이 모두 일정한 수준의 작품을 남겼다. 시문학파(詩文學派)에서 특히 영랑시(永郎詩)의 높은 음악성이 평가되나 현구의 시어(詩語)는 그보다 폭이 넓고 유연하며 감각이 섬세하다는 평가를 받기도 한다.

김현구의 「님이여 강물이 몹시도 퍼럿습니다」에서 '퍼럿'한 심상은 설움이나 외로움 또는 그리움이 사무쳐서 멍이 들 정도의 빛이라 할 수 있다. 그것이 곧 시적 화자의 마음의 색이고, 그 마음을 알아 줄 이는 '님' 뿐이지만 대상은 여기에 없다. 부재의 님에게 안타깝게 물을 수밖에 없는 비애로운 존재는 암울한 시대에 시골에 칩거하여 시를 쓰는 시인의 마음이었던 것이다. 그리하여 그는 기다림을 노래하지만, 헛되다는 것을 아는 지점부터 기다림은 인생무상과 죽음으로 바뀐다. 그의 비애와 무상의 시학을 잘 드러내고 있는 시편이라 할 작품이다. 한편, 「검정비들기」는 그의 호인 '현구(玄鳩)'를 노래한 자화상이라고 할 시이다.

한숨에도 불려갈듯 보-하니 떠있는
은빛 아지랑이 깨어 흐른 머언 산둘레
구비구비 노인길을 하얗게 빗납니다
님이여 강물이 몹시도 퍼럿습니다.

헤여진 성돌에 떨든 햇살도 사라지고
밤빛이 어슴어슴 들위에 깔리어 갑니다
홋홋달른 이 얼굴 식혀 줄 바람도 없는 것을
님이여 가이없는 나의 마음을 알으십니까

　　　　　　－「님이여 강물이 몹시도 퍼럿습니다」(《시문학》 2호, 1930. 5)

두견이 울며 두견이 울며
이른 봄을 밤새도록 바람이 불면
산에는 진달래 꽃이 피었네

언덕에 혼자서 언덕에 혼자서
푸른 하늘 한없이 바라보다가
나는 내 설움의 얼굴을 만났네.

　　　　　　－「밤새도록」(《시문학》 3호, 1931.10)

뉘 눈살에 시다끼여 그 맴시 쓸쓸히
외로운 넋 물고오는 검정 비들기
해늙은 느릅나무 가지에 앉어
구구꾸 목놓아 슬피우노나

깨우면 꺼져 버릴 꿈같은 세상

사랑도 미움도 물 위에 거품

그 설움 香火처럼 피워지련만

날마다 못잊어 우는 비들기

웰트슈매-쓰? 니힐의 속아픈 울음?

알 리 없고 둘 곳 없는 저 혼잣 서름!

귀먹은 地獄거리 가에 앉어서

虛空에 울어대는 외론 비들기

높고푸른 하늘은 끝없이 멀리 개여

太古然에 햇빛만 헛되이 흐르는 날

오늘도 혼자 앉어 슬피 울다가

어디론지 간 곳 모를 검정비들기

— 「검정비들기」

5. 조선청년문학가협회의 시인들

서정주(徐廷柱, 1915~2000)

호는 미당(未堂)이다. 1915년 5월 전북 고창에서 태어났다. 고향의 서당에서 공부한 후, 서울 중앙고등보통학교를 거쳐 1936년 중앙불교전문학교를 중퇴하였다.

1936년 동아일보 신춘문예에 시 「벽」이 당선되고, 같은 해 김달진, 김동리, 함형수 등과 함께 시동인지 《시인부락(詩人部落)》을 창간하면서 본격적인 문학활동을 시작하였다. 광복 후에는 조선청년문학가협회 결성에 앞장섰으며, 1948년 동아일보 사회부장·문화부장 문교부 예술국장을 거쳐, 1949년 한국문인협회 창립을 주도하고, 1954년 대한민국예술원 종신회원이 되었다. 이후 조선대학교·서라벌예술대, 동국대학교 교수를 역임했다. 1971년 현대시인협회 회장, 1972년 불교문학가협회 회장, 1977년 한국문인협회 이사장, 1984년 범세계 한국예술인회의 이사장, 1986년 《문학정신》 발행인 겸 편집인을 지낸 바 있다. 대한민국문학상·대한민국예술원상, 5·16 민족상, 자유문학상 등을 받았고, 금관문화훈장이 추서되었다.

주요 작품집으로는 1941년 첫 시집인 『화사집』과 『귀촉도』(1948), 『서정주 시선』(1956), 『신라초』(1961), 『질마재신화』(1975), 『떠돌이의 시』(1976) 등이 있다. 저작에는 『한국의 현대시』, 『시문학원론』, 『세계민화집』(전5권) 등이 있으며, 위의 시집 외에 『흑산호』(1953), 『국화 옆에서』(1975), 『미당 서정주 시전집』(1983) 등이 있다.

한편, 1942년 7월 매일신보에 다츠시로 시즈오(達城靜雄)라는 이름으로 평론 「시의 이야기—주로 국민 시가에 대하여」를 발표한 하면서 친일 작품을 쓴 이력도 가지고 있다. 이후 1944년까지 친일 문학지인 『국민문학』과 『국민시가』의 편집에 관여하면서 수필 「징병 적령기의 아들을 둔 조선의 어머니에게」(1943), 「인보(隣保)의 정신」(1943), 「스무 살 된 벗에게」(1943)와 일본어로 쓴 시 「항공일에」(1943), 단편소설 「최제부의 군속 지망」(1943), 시 「헌시(獻詩)」(1943), 「오장 마쓰이 송가」(1944) 따위의 친일 작품들을 발표하기도 했다. 그리하여 2002년 2월 '민족정기를 세우는 국회의원 모임'이 자체 조사하여 발표한 '일제하 친일 반민족행위자 1차 명단(708명)'에 포함되기도 했다.

「화사(花蛇)」, 「자화상(自畵像)」, 「문둥이」 등 24편의 시를 묶어 낸 첫 시집 『화사집』(1941)은 관능미와 생명력에 대한 강렬한 찬사가 돋보이는 시편들을 담았다. '뱀'과 '이브'가 등장한 데서 보이는 것처럼 서구적인 상상력을 바탕으로 하고 있는 것으로 보들레르의 악마적 탐미주의의 영향을 보이고 있다고 평가되기도 한다. 그의 초기 시를 지배하는 주요한 정서는 서러움으로 이는 문둥이의 처지처럼 천형으로 타고난 것이다. 이 서러움은 어떤 원인에서 비롯된 슬픔이나 분노와는 다른 것으로 시인에게 시를 쓰게 하고 인간이 인간되게 하는 생명력과 같은 것이다. 첫 시집은 주로 인간의 원죄의식과 원초적인 생명력을 읊고 있다고 평가된다.

두 번째 시집인 『귀촉도』(1948)는 동양적인 귀의를 시사해 주는 것으로, 토착적인 정서와 고전적인 격조에 대한 지향을 강하게 드러내고 있다. 광복과 관련된 시들을 담고 있는 이 시집은 「목화」, 「국화옆에서」처럼 '누님'이 등장한다는 것이 특징이다. '누님'의 이미지는 격정의 세월을 인내하면서 보내고 한송이의 꽃을 피우는 것으로 표현된다. 그리고 대표작인 「귀촉도」 등의 시편 들에서는 한국적인 한의 미학을 제시하고 있다.

서정주의 시들은 『신라초』에 이르면서 새로운 정신적 세계에 도달한다. 『신라초』에서는 초월적인 비전의 신화적인 거점이 되고 있는 신라를 역사적인 실체라기보다 인간과 자연이 완전히 하나가 된 상상의 고향으로 제시하면서 불교사상에 기초를 두고 영원회귀의 이념과 선(禪)의 정서를 보여주고 있다. 이 시세계의 연장선에 『동천』(1969)과 『질마재신화』(1975)가 놓이게 된다.

서정주는 언어미학의 완성을 통해 생의 본질적 문제들을 탐구함으로써 존재의 영원성에 도달하고자 하였다. 초기에는 대지적 존재로서 인간의 조건과 본능의 몸부림을 보들레르적 탐미주의로 승화시키려 했다가 동양의 영원주의로 회귀하였다. 중기 이후 그가 몰두했던 신화 혹은 설화적 세계는 정신적 편력을 보여주는 것들이라 할 수 있다. 하지만 무엇보다 그의 시가 주목받는 것은 탁월한 상상력과 뛰어난 언어적 감수성이 빚어낸 작품의 문학적 완결성에 있다. 전통적인 서정세계에 대한 관심에 바탕을 두고 토착적인 언어의 시적 세련을 달성하면서 시 형태의 균형과 질서가 내재된 율조로부터 자연스럽게 조성되고 있는 점 등이 높게 평가되고 있다.

麝香 薄荷의 뒤안길이다.
아름다운 배암……
얼마나 크다란 슬픔으로 태어났기에, 저리도 징그러운 몸뚱어리냐

꽃대님 같다
너의 할아버지가 이브를 꼬여내던 달변의 혓바닥이
소리 잃은 채 날름거리는 붉은 아가리로
푸른 하늘이다. …… 물어뜯어라, 원통히 물어뜯어,

달아나거라, 저놈의 대라기!

돌팔매를 쏘면서, 쏘면서, 麝香 芳草길
저놈의 뒤를 따르는 것은
우리 할아버지의 아내가 이브라서 그러는 게 아니라
石油 먹은 듯…… 石油 먹은 듯…… 가쁜 숨결이야

바늘에 꼬여 두를까 부다. 꽃대님보다도 아름다운 빛……

클레오파트라의 피 먹은 양 붉게 타오르는 고운 입술이다…… 스며라, 배암!

우리 순네는 스물 난 색시, 고양이같이 고흔 입술…… 스며라, 배암!

- 「花蛇」(《시인부락》 2호, 1936.)

애비는 종이었다. 밤이 깊어도 오지 않았다.
파뿌리같이 늙은 할머니와 대추꽃이 한 주 서 있을 뿐이었다.
어매는 달을 두고 풋살구가 꼭 하나만 먹고 싶다 하였으나…… 흙으로 바람벽한 호롱불 밑에
손톱이 까만 에미의 아들.
甲午年이라든가 바다에 나가서는 돌아오지 않는다 하는 외할아버지의 숱 많은 머리털과
그 커다란 눈이 나를 닮았다 한다.
스물 세 해 동안 나를 키운 건 八割이 바람이다.
세상은 가도가도 부끄럽기만 하더라.
어떤 이는 내 눈에서 죄인을 읽고 가고
어떤 이는 내 입에서 천치를 읽고 가나
나는 아무것도 뉘우치진 않으련다

찬란히 틔어 오는 어느 아침에도
이마 위에 얹힌 시의 이슬에는
몇 방울의 피가 언제나 섞여 있어
볕이거나 그늘이거나 혓바닥 늘어뜨린

병든 수캐 마냥 헐떡거리며 나는 왔다.

- 「自畫像」(《시건설》, 1939. 10.)

눈물 아롱아롱

피리 불고 가신 님의 밟으신 길은

진달래 꽃비 오는 서역 三萬里

흰 옷깃 여며 여며 가옵신 님의

다시 오진 못하는 巴蜀 三萬里

신이나 삼아 줄걸 슬픈 사연의

올올이 아로새긴 육날메투리.

은장도 푸른 날로 이냥 베어서

부질 없은 이 머리털 엮어 드릴 걸.

초롱에 불빛 지친 밤 하늘

굽이굽이 은하 물 목이 젖은 새,

차마 아니 솟는 가락 눈이 감겨서

제 피에 취한 새가 귀촉도 운다.

그대 하늘 끝 호올로 가신 님아.

- 「歸蜀道」(《춘추》 32호, 1943. 10)

이한직(李漢稷, 1921~1976)

호 목남(木南), 율아당(栗雅堂)이다. 1921년 7월 전북 전주에서 출생했다. 경성중학을 거쳐 일본으로 건너가 게이오(慶應)대학교 법과에서 수학하였다. 1939년 《문장》지에 「온실(溫室)」, 「기려(羈旅)」, 「낙타(駱駝)」 등으로 정지용의 추천을 받아 등단했다. 1945년 광복 후 종합지 『전망』을 주재했고, 6·25전쟁 때는 공군종군문인단의 일원으로 종군했으며, 1956년부터 2년간 조지훈 등과 함께 『문학예술』의 시 추천을 담당하기도 했다. 1960년 공보부 문정관(文政官)으로 도일, 도쿄[東京]에 정착하였다가 그곳에서 사망하였다.

주요 작품으로는 광복 전의 것으로 「전기」 외에 「붕괴(崩壞)」, 「범람(氾濫)」 등이 광복 후의 것으로 「상아해안(象牙海岸)」, 「동양의 산」, 「여백(餘白)에」 등이 있다.

그의 초기시에는 돌연한 이미지의 충돌과 새로운 이미지의 생성이 두드러진다. 이러한 초기 시의 경향은 후기에 이르러 한국전쟁과 4·19를 겪으면서 윤리의식과 인생에 대한 성찰의 측면이 강조되는 쪽으로 기울어진다. 또 강한 의지로 현실을 초월하려는 면을 보여주기도 한다.

일반적으로 그의 시는 산뜻한 풍경화를 보는 듯하고 감각적이고 영롱한 것이 특징이다는 평가를 받는다.

砂丘 위에서는
胡弓을 뜯는
님프의 동화가 그립다.

季節風이어

카라반의 방울소리를

실어다 다오.

葬途譜도 없이

나는 砂丘 위에서

풍장이 되는고나.

날마다 날마다

나는 한 개의 실루엣으로

괴롭히었다.

깨어진 오르간이

杳然한 요람의 노래를

부른다, 귀의 탓인지.

葬途譜도 없이

나는 砂丘 위에서

풍장이 되는고나.

그리운 사람아.

- 「風葬」(『문장』, 1939. 5)

눈을 감으면

어린 때 선생님이 걸어오신다.
회초리를 드시고

선생님은 낙타처럼 늙으셨다.

늦은 봄 햇살을 등에 지고
낙타는 항시 추억한다.
　- 옛날에 옛날에 -

낙타는 어린 때 선생님처럼 늙었다.

나도 따듯한 봄볕을 등에 지고
금잔디 위에서 낙타를 본다.

내가 여읜 동신의 옛이야기가
여기 저기
떨어져 있음직한 동물원의 오후.
　　　- 「駱駝」(《문장》, 1939. 8)

높새가 불면
唐紅연도 날으리

향수는 가슴 깊이 품고

참대를 꺾어
지팡이 짚고

짚풀을 삼아
짚세기 신고

다시는 돌아오지 않을
슬프고 고요한
길손이 되오리

높새가 불면
黃나비도 날으리

생활도 갈등도
그리고 산술도
다아 잊어버리고

白樺를 깎아
墓標를 삼고

凍原에 피어오르는
한 떨기 아름다운

백합꽃이 되오리

높새가 불면

- 「높새가 불면」(《문장》, 1940. 3)

6. 문학가 동맹의 시인들

임학수(林學洙, 1911~1982)

호는 악이(岳伊)이다. 1911년 전남 순천에서 출생하였다. 순천보통학
교를 거쳐 경성제일고보와 경성제국대학 영문과를 졸업한 뒤 성신여고
·배화여고 등에서 교사로 재직했다. 8·15광복 후 서울여대에서 교무처장
겸 교수를 역임했고, 고려문화사 주간을 거쳐 고려대학교 교수로 재직하
던 중 6·25전쟁 때 납북되었다.

그는 1931년 동아일보에 「우울」, 「여름의 일순」을 발표하였고, 「고요한
봄」, 「먼 곡조」, 「항해」, 「주인은 어디 가고」 등을 발표하였다. 1930년대
후반에는 시집 『석류』(1937), 『팔도풍물시집』(1938), 『후조(候鳥)』(1939),
『전선시집(戰線詩集)』(1939)등을 발간하였다. 광복 이후 《신생(新生)》에
「나그네의 꿈」(1947), 「피리 흘러오는 밤」(1949) 등을 발표하였고, 시집
『필부의 노래』(1948)를 펴낸 바 있다.

1930년대 말 김동인(金東仁)·이광수(李光洙) 등과 함께 '황군위문작가
단'의 일원으로 중국 전선을 다녀온 후로는 중국의 거대한 자연을 통해 호
탕한 시경과 호연지기의 시풍을 보여주었다. 8·15광복 후 잠시 조선문학
가동맹에 관여하였으나 대개는 문학동인이나 유파와는 관계없이 독자적

인 활동을 하였다.

한편, 시 창작 이외에 소설과 평론분야에 몇 편의 작품을 남기고 있기도 하다. 단편소설로 「가마귀」(1934), 「금혼식」(1937), 「침전한 미소」(1937), 등이 있으며, 평론으로는 「현대 영시의 동향」(1936) 등 십 수 편이 있다. 납북 이후 「휘트먼의 풀잎」(1955), 「규탄과 조소-마크트웨인의 서거 50주년에 제하여」(1960), 「순수문학의 사기성」(1966) 등 영문학 관계의 평론 몇 편을 발표한 것 외 시창작 활동은 이루어지지 못한 것으로 보인다.

임학수의 1937년에 발간된 첫 시집 『석류』에 수록된 서사시는 '남성적인 힘의 문학으로서의 서사시의 부흥'이라는 호평을 받는 등 초기에는 자연과의 동화 및 자연의 신비와 구원을 추구하는 경향을 보였다. 하지만 『석류』의 시 대부분이 현실세계의 토대를 결핍한 환상의 세계이며 역사성에 대한 무관심, 자신의 감정을 앞세우는 취향을 보여주고 있기도 하였다. 이 취향은 『팔도풍물시집』에서 추구하는 회고조의 세계로 이어진다. 그러나 일제하의 현실과 특히 1939년 이후의 전시체제 하에서 그는 현실과 이상 사이에서 갈등을 느끼고, 이 갈등을 해소하고자 하는 마음이 『후조』에서처럼 산책과 여행의 이미지를 만든 것으로 여겨진다.

그의 대부분의 시는 어둡고 고된 현실 속에서 시달리는 고뇌를 노래하고 있다. 또한 그 고뇌에서 벗어나 자유와 해방을 갈구하는 바람을 열정적으로 토로하고 있는 것으로 볼 수 있다.

구름같이 떠가고 싶네
저 산 넘어가면
푸르른 잔디 얼크러진 라일락
하늘 개이고 먼 종소리 흘러오리

미풍같이 날려가고 싶네

저 銀線 지나가면

노을 밖에 또 노을 나래치는 갈매기

물결은 망막 풀 잎새 향기로워

이 한 몸을 누이기에 더 좋은 곳이 없으리!

- 시집 『석류』, 1937.

그렇다, 길은 멀고

해 이미 저물었다.

적은 것아, 어느덧 가을

날씨마저 험하구나.

아, 올빼미 노송에 울고

野草가 흔들거리는 곳,

나와 함께 嶺 위에 올라

돌난간에 오똑 서

바라보라 다시 한 번

내 막대기의 가리키는 방향을 –

바람 표표히

구름은 줄달음쳐

滿山의 가을 소리……

저 시끄러운 北天 –

그리고 생각하라,

동이건 서건 씩씩하게건 비겁하게건

이제는 너 스스로

이 광막한 천지에

너의 나아갈 길을 찾아야 할 것을!

連山과 저 아득한 雲煙을 헤치고

이제는 너 호올로

너의 갈 바를

재촉하여야 할 것을!

- 「秋風嶺에 올라 北方을 바라보며」(《문장》, 1940)

여상현(呂尚玄, 1914~?)

본명은 여상현(呂尚鉉)이고 필명은 여성야(呂星野), 여상야(呂尚野)이다. 1914년 전남 화순에서 출생했다. 1935년 고창고보를 거쳐 1939년에 연희전문을 졸업했다. 연희전문 재학중에 산문시 「새벽」과 「좀 먹은 단층」을 발표하기도 했다. 1936년 서정주, 오장환 등과 함께 《시인부락》 동인으로 참여하여 시 「장(腸)」, 「호텔앞 광장」, 「법원과 가마귀」 등을 발표하면서 본격적인 작품활동을 시작하였다. 광복 전에는 주로 일상적 삶의 편린들을 담은 시를 썼다. 1937년 2월 《풍림》에 발표한 「종로 168」은 종로 뒷거리 밤의 속악한 현실을 리얼하게 그리고 있는 것으로 평가받기도 하였다.

여상현의 시에서 세간의 주목을 받는 것은 해방기의 작품들이다. 일제강점기엔 현실을 비애의 정서로 내면화하여 비판하려 했으나, 광복 후 조선문학가동맹에 가입해 서기로 지명받기도 하면서 현실을 객관적이고 사실적으로 드러내어 비판하려 했다.

1947년 『백민』에 「슬픈 가락」을 발표한 이후 6·25전쟁 중에 월북한 것으로 알려져 있다.

여상현은 단 한권의 시집인 『칠면조』(1947)에서 차분한 율조로 현실 참여와 자신이 속한 세대의 의식을 추구하였다. 45편의 시편들은 그가 일제 식민지와 해방공간의 미군정 치하 속에서 진정한 자주와 독립을 열망했던 지식청년임을 짐작하게 한다.

시집 『칠면조』의 1부 '독도방'에서는 거칠고 소망없고 숨가쁜 시대 조류 속에서도 좌절하지 않고 무엇인가를 붙들어보려는 의지를 보여주고 있다. 2부 '귀불귀'에서는 일제치하 정치적 압박 속에서 약해진 작가의식을 가다듬어 당대의 생활상과 심경 위에 담아놓고 있다. 3부 '장미속에서'는 일제하의 일상생활 속에서도 눈을 돌려 자연의 정서 바탕위에 깔린 서정의 시심을 포착하고 있으며, 4부 '좀먹은 단층'에서는 연희전문 시절의 미묘한 심정을 산문시 형태로 형상화하고 있다.

『칠면조』의 시적 자아는 자신이 발딛고 있는 식민지적 현실이 결코 자신의 의식세계와 무관하지 않고, 자신의 영혼과 신체를 압살하고 있다고 선명하게 지각하고 있다. 시들에서는 '답답하다', '외롭다', '싸늘하다', '초조하다'와 같은 감각적 이미지들에 대응되는 것으로 '마음', '푸른 하늘', '태양', '푸른 숲' 등 빛과 견고한 것에 대한 지향을 보여준다. 시적 자아가 애타게 지향하는 세계는 해방된 자유의 나라다. 그러나 해방이 되었을 때 또 다른 형태의 식민지로 모습만 바뀌었을 뿐, 진정한 해방은 자취조차 없다. 미군정치하 또한 해방이 아닌 공포일 뿐이다. 이런 세상에서 시인의 발은 자꾸 허방을 디딜 수밖에 없다. 『칠면조』는 바로 시인 자신이 속한 정치적 현실에 대한 문제의식의 흔적이라고 할 수 있다.

논두렁가로 바스락바스락 땅강아지 기어가고
아침 망웃 뭉게뭉게 김이 서린다

고추잠자리 저자를 선 黃土물 蓮못가에
藥에 쓴다고 비단개구리 잡는 꼬마둥이 녀석들이 웅성거렸다.

바구니 낀 계집애들은 푸른 보리밭 고랑으로 기어들고
까투리는 장끼 꼬리를 물고 산기슭을 내리는구나

꿀벌떼 노오란 장다리 밭에서 잉잉거리고
동구 밖 지름길론 갈모를 달아맨 괴나리봇짐이 하나 떠간다

城隍堂 돌무데기 우거진 찔레나무엔
사철 하얀 종이쪽이 나풀거리더니 꽃이 피었네

느티나무 아래 빨간 自動車 하나
자는 듯 고요한 마을에 무슨 소식이 왔다.

－『해방기념시집』, 1945. 12.

우수수 꼬리를 떨면
여울물살 쏟아지는 소리 무지개를 이루고

차르르 꼬리를 펴면
佛詞, 印度의 華麗가 아른거린다
조심조심 모래밭 길에
女王처럼 아장거리는 異國의 가을

때때로 들여오는 獨立萬歲의 아우성소리
한발 접어들고 귀 기우려 듣는 청승

때마침 산보를 나온 駐屯美兵이 한 명
이 죄그마한 異彩를 한동안 지키고 있다

　　　　　　　　　　　－ 시집 『칠면조』, 1947.

진달래 뿌리를 스쳐
가난한 마을의 土墻을 돌아
열두 골 샅샅이 모여든
영산강 五百里 서러운 가람아

먼 天心처럼 푸르고
어질디 어진 청춘의 마음인 듯
푸른 바다로 푸른 바다로 가는 길이기에
밤낮없이 흘러가며
하냥 여울져 가느다란 경련을 일으킴이여

봉건의 티끌 처마 밑마다 쌓여 있고
제국주의 外敵의 탯줄을 붙들어
지극히 영특한 '뿌르'의 웅거지
여기 전라도 富家가 사시고
여기 또 전라도 소작인, 선비의 자식, 상놈
사철 검정 무명치마의 가시내도 무수히 산다

소리 잘한다는 전라도 사람

北間島며 大阪이며 지향없이 떠나갔던 이민들

소리도 없이 흐느꼈던 눈물에 섞여

굽이굽이 영산강은 흘러가는 것이다

한발과 홍수의 天災를 뉘 원망하랴

東拓의 손아귀를 뉘 막아내랴

왜병의 얕은 예측 상륙작전은 더구나 무서운 전율의 백일몽이었던가

돈이요 논이요 中樞院 參議라

쇠잔한 목숨들은

사뭇 궁하면 병사계 면서기 성님이라도 있어야 했다

기름진 국토 늘어가는 헐벗은 계급이 있어

산에 올라 사슴도 될 수 없고

때론 풀 뜯는 송아지 뛰는 물고기도 부러운

인생의 크나큰 설움에

바다로 푸른 바다로 모두가 해방을 찾았다

오 얼마나 목메어 찾던 해방이었던가

바둑돌과 절벽 밑을

크고 작은 들판과 얼음장 밑을 감돌아

영산강 줄기찬 물결을 모르랴마는

바다는 아직도 저 먼 곳에 있음인가

지정 눈앞에 해방이 없다

가을 햇볕에 항쟁의 피도 엉키었고

왜적과 더불어 호화롭던 놈이

또한 호화로운 외출이 잦아도

담양 죽세공, 화순 탄광부, 나주 소반공

도적이 버리고 간 옛 땅만 바라볼 뿐인 무수한 농민들

봄이 오면 제비 나르고

풀뿌리 캐서 연명할 서름

열두 골 줄기줄기 모여든

예나 다름없는 영산강 五百里 서러운 가람이여

- 「榮山江」(『신천지』, 1947. 10)

유진오(俞鎭五, 1922~1950)

호는 무헌(無軒)이다. 1922년 전북 완주에서 출생했다. 1941년 중동학교를 졸업하고 일본 도쿄문화학원에서 수학했다.

1945년 《민중조선》에 시 「피리소리」를 발표하면서 작품활동을 시작했고, 1946년 2월 학병추모행사에 「눈 감으라 조용히」를 낭독하고 조선문학가동맹에 가입했다. 그러다 1946년 9월 1일 훈련원 광장에서 개최된 '국제청년데이 기념식장'에서 낭독한 자작시 「누구를 위한 벅차는 우리의 젊음이냐」가 문제되어 투옥되었다가 9개월만에 석방되었다. 같은 해 김상훈, 김광현 등과 함께 『전위시인집』(1946)을 발간했다. 1947년 문화공작대에 참가해 지리산 유격대로 경남지방에서 활동하다가 체포되어 1949년 군법회의에서 사형언도를 받았다. 그 후 1950년 무기로 감형되어 전주형무소로 이감되었으나 한국전쟁이 발발하자 긴급 처형되었다. 대표 시집으로 『창』(1948)이 있다.

유진오는 초기에는 「소」, 「순이」 등의 서정시를 쓰다가 점차 경향시로 바뀌었다. 시가 담고 있는 내용과 의도에 따라 시적 어조도 영탄적이거나 서정적인 것에서 단정적이고 투쟁적인 어조로 변화했다. 서정시와 경향시의 과도기적인 형태의 시편들은 선동적 경향이 강하면서도 한편으로 서정성을 표출하고 있는 것을 볼 수 있다. 그의 경향시편들은 화자가 가상의 청자를 향해 발화하고 있는 형식을 취하고 있는 것이 많은 데, 이는 청자를 화자와 함께 공동운명체로 파악함으로써 화자의 의지를 받아들이도록 유도하는 구실을 하고 있다.

그리운 사람이 있음으로 해
더 한층 쓸쓸해지는 겨울밤인가보다

내사 퍽이나 무뚝뚝한 사나이
그러나 마음 숨은 불길이
사뭇 치밀려오면
하늘도 땅도 불꽃에 싸인다

아마 이 불길이 너를 태우리라
이 불길로 해
나는 쓸쓸하고
안타까운 밤은 숨막힐 듯 기인가보다

불길이 스러진 뒤엔

재만 남을 뿐이라고
유식한 사람들은 말하더라만

더러운 돼지 구유같이 더러운 것
징글맞게 미운 것들을
모조리 집어삼키는 불길!
이것은 승리가 아니고 무엇이냐

나는 일찍이 이렇게
신명나는 그리고 아름다운
불길을 사랑한다

낡은 도덕이나
점잖은 이성은 가르친다
그것은 너무나 두렵고
위험하지 않느냐고

어리석은 사람아
싸늘한 이성 뒤에 숨은
네 거짓과 비겁을
허물치 말까보냐

네가 생각지도 못한
꿈조차 꿀 수 없는 그런 것!

젊은이 가슴에 손에 담겨서
그득히 앞으로만 향해 간다

외곬으로 타는 마음이 있어
괴로운 밤
나의 사랑 나의 자랑아
나는 불길에 싸여버린다

　　　　　　- 시집 『창』, 1948.

장마가 스쳐간 강기슭에
모래도 물에 젖어 반짝이지 않고

두어 그루 또 두어 그루 미루나무엔
짚 오라기만 얽히어
가지마다 바람에 나부끼는데

허물어져 임자 없는 뫼뿌리 모양
초라한 마을엔
두꺼비와 개구리만 있을 뿐이다.
아 여기 이 마을
서러웠던 꿈이
아물거리는 논 이랑에
또 다시 한없는 슬픔이 몰려오던 날

정녕 깃들일 곳 없는 마음을 안고
옛날처럼 옛날처럼 떠나야만 했다

그러나 떠나던 길 또한 정처 없이
구름은 흩어져 날리는 저녁
일 저지른 아이들처럼
시름없이 찾아드는 마을

마을은 항상 흙 냄새 풍기는 곳이기에
멀리서 안타까이 돌아와야 했고
모진 마음으로 쟁기를 되잡아야 했다

모래도 물에 젖어
반짝이지 않는 강마을
장마가 스쳐간 논 이랑에
다시는 다시는 슬픔이 없어야 한다.

– 「강마을」(《신천지》, 1946. 10)

자갈 파묻힌
정다운 거리
너는 나의 고향

눈길 자욱자욱
자욱은 없어도
담이란 담
전신주 잔등마다에
밤 사이 총총히 서리운
피맺힌 글발이 있어
떨리는 거리

봄
아직은 멀어도
조국의 오늘날이
슬프진 않다

밤마다 바람결에
잠 못 들 양이면
항거하는 숨결이
가슴에 어려

피맺힌 글발이 있어
떨리는 밤 사이
숨은 자랑이 늘어가는
나의 거리여

조국이여

이리 가까이

바뜻 다가오시라.

        - 「나의 거리」(《신인》, 1948. 3)

최석두(崔石斗, 1917~1951)

본명은 석두(錫斗)이다. 1917년 전남 함평 기각리에서 출생하였다. 1930년 함평공립보통학교를 졸업하고, 1931년 광주공립농업학교를 입학하면서 광주에서 생활하기 시작했다. 1936년 경성사범 단기강습을 졸업하고 경기도 여주 점동보통학교에서 교편을 잡았다가 일제의 식민지 교육정책에 불만을 품고 교직을 떠난다. 1939년 독서회사건에 연루되어 수감되었다가 출옥 한 이후 고향 함평으로 돌아와 농사일에 전념하였다. 경성사범다기 강습과 친구인 음악가 김순남과 교류하면서 사회주의 사상을 습득했다. 해방 직후에는 광주에서 조선문학가동맹 전남지부 책임자로 있었고, 이후 광주에서 활동이 어려워지자 서울에 올라가 지하활동을 계속하였다. 그런 와중에 조벽암의 도움으로 1948년 8월 시 16편을 모아 시집 『새벽길』을 좌익문학계열 출판사인 서울의 '조선사'에서 간행하였다. 그러나 이 시집은 경찰에 의해 판금조치 되고 압수되었다. 『새벽길』은 미제국주의의 퇴진과 인민의 비참상을 폭로하면서 사회주의 혁명을 꿈꾸는 내용을 담았다. 시집 출간이후 1949년 8월 경찰에 체포되어 7년형을 받고 서대문형무소에 구금되었다가 한국전쟁 중 인민군의 서울 점령시 이용악 등과 함께 풀려나 월북하였다. 1951년 3월부터 평양에서 문화선전성 문화예술국에서 활동하던 중 그해 10월 미군의 폭격에 맞아 사망하였다.

1957년 북한의 '조선작가동맹출판사'에서 최석두가 첫시집의 시편들과 함께 전쟁의 포연 속에서 썼던 작품까지 포함하여 42편을 수록한 『새벽길』이 새로 간행되었다.

　최석두의 시작품들은 역사인식과 더불어 소극적인 자신의 삶에 대해 비판하는 내용과 함께 현실적 혁명의 삶에 뛰어 들어가 투쟁정신을 고취하는 것을 주로 하였다. 해방이 되던 1945년의 「솔개」는 시인 자신의 모습이자 서정적 주인공으로 형상화되어 있는 '솔개'가 매서운 발톱을 준비하고 있는 것으로만 그려졌으나 1946년 1월에 씌어진 「레포」에서는 이미 사회주의 혁명운동가로 활동하고 있는 것을 알 수 있다. 급변하는 해방정국의 시대적 상황하에서 최석두의 현실인식은 「폭풍의 거리」, 「그리운 노래」(1946)를 위시하여 「일기」(1946), 「전단대」(1947), 「고향」(1948), 「새벽길」(1948)등의 시에 잘 형상화되어 있다. 이후 단독정부의 수립과 미군정치하를 거쳐 6·25전쟁 중에는 사회주의적 자의식과 함께 미국과 보수세력에 대한 투쟁과 전쟁에 대한 형상화를 「철로를 끊어라」(1949), 「구월산 빨찌산의 노래」, 「전세계 청년의 크낙한 힘으로」(1951) 등의 시에서 그리고 있다.

　　앙상한 그루마다
　　식어 내리는 하늘이다

　　인젠 연 하나
　　나르지 않는
　　남쪽 하늘이다

　　이따금
　　성낸 까마귀 떼의

데모가 벌어지면

또 뉘 집의 대밭이
불붙는 거냐

난데없는 총소리
아낙네들의
피맺힌 가슴을 후비어

들이고 산이고 무너져라
개 짖는 소리

사내란 사내는
모두 끌리어 가고

연신 시커먼 밤들이
으르렁거린다

한 파수 기어이
사굿대질이 있고야 말
여기 내 고향
고향이 있다.

    ー「고향」(시집 『새벽길』, 1947)

산토끼와 너구리와

늦대와 오소리들만 나니는

골짜구니를

하늘도 바람도 모르는

억센 발자국들이

이따금 숨을 따라 스치고 간다

거기 반드시

조국의 자유가 있어

인민의 행복이 있어

목목이 숨어 노리고 있을

원소의 잔인한 눈초리를 돌아

돌부리마다 시월은 스며

소스라치는 산길

짐승보다도

원수보다도

더 잔인한 마음을 지녀야 하기에

풀뿌리 질근질근

성낸 발자국

길 아닌 길을 더듬어 간다

많은 동무들이

수없이 수없이 싸우며 간 길
또 많은 동물들이
수없이 수없이 더듬어 오는 산길

    －「산길」(시집 『새벽길』, 1948)

안개 자욱한 이른 새벽
채 눈이 뜨이기도 전에 손이 왔다
손은 수염 검숭검숭
눈만 날카롭게 살아 있어
아 쫓기어 다니는
민주주의 애국자
우리 아버지와 같은 사람들

주섬주섬 옷고름 여미고
부엌으로 나갔다
초라한 끼니를 끓여보자
석화 사란 소리를 살며시 불렀다
 － 한 그릇 사십 오 원
알 주먹 십 원어치 흥정은
생각조차 말아야 할 것을－

소금물 같은 간장과

시늉만 한 깍두기가
온통 차지해버리는 상을 바쳐
뜨거운 밥만 내보았다
손은 무슨 일에 삐쳤음인지
그만 취한 듯 곤히 잠들어버린다

검숭검숭한 수염
무거웁게 울려나오는 숨소리
그러나 참히 맑은 얼굴
누구네가 잘 살게 되기에
저렇게도 고생을 하는 건가
한 시도 잊을 수 없는
근로인민이란 네 글자가
눈앞에 커다란 나래를 편다

       - 「손」(《문학》, 1948. 4)

2부

이천년대는 집단과 자율성보다 개인과 독립성이 중요한 가치가 되어 우리의 삶을 좌우한다 연구 주제로 한틀 간 듯한 순대성을 새삼 환두로 꺼내 든 것은 이와 무관하지 않다 전통의 타자 혹은 동시대성의 타자였던 근대가 이제 전통과 동시대를 타자로 삼는 근대로 거듭나야 할 시점인 것이다

박용철 시론의 變容的 意味

김동근*

1. 머리말

1930년대 초두 우리 시단의 방향성이 순수시운동에서 찾아지고 있음은 주지의 사실이다. 즉 30년대의 한국 시단은 전시대의 문예사조 혼류와 서구시 경험을 반성하고, 계급주의와 민족주의 등 이데올로기 문학으로부터 탈피함으로써 시의 본질에 도달하고자 했던 시인들의 개별적 각성과 인식의 확산에 의해서 형성되었다고 볼 수 있다.

龍兒 박용철은 시문학파의 일원으로서 이러한 순수시운동을 주도하였던 시인이다. 그는 모든 기교나 이데올로기를 배격하고 시를 미적 가치의 추구 대상으로 보는 예술적 심미적 태도를 견지한 시문학파 시인들에게 이론적 배경을 제공하였다. 따라서 그리 길지 않은 문학적 연륜에도 불구하고 박용철은 시인이자 시론가로서 우리 문학사에서 자신의 영역을 확보하고 있으며, 관심의 대상이 되고 있는 것이다. 박용철에 대한 문학사적

* 전남대 국문과 교수

관심의 이유는 김윤식교수의 다음과 같은 평가에서 잘 보여지고 있다.

    첫째, 시문학파의 옹호와 관련된 탁월한 시론의 전개
    둘째, 『시문학』, 『문예월간』, 『문학』 등 순문예지를 발간 주재하면서
문학의 본질과 함께 시대를 파악했던 뛰어난 안목
    셋째, 외국의 작품과 문학이론의 번역 소개를 통한 한국 문학에의
기여
    넷째, 시작활동을 통한 순수시의 표방[1]

    물론, 이상의 이유를 가감 없이 긍정할 수 있는가 하는 데에는 이론의
여지가 있을 수 있다. 가령 김명인은 박용철의 제반 문학 활동이 소수의
분파주의에 머물렀음을 지적하고, 그의 시론 역시 그 실천에 있어서는 오
히려 현실과의 괴리와 갈등구조를 심화시킨 것으로 파악한다.[2] 그러나 박
용철의 문학적 성과에 대한 평가가 얼마간 상반된 거리를 갖고 있음에도
불구하고, 박용철에 관한 대다수 연구들의 출발점이 위의 이유를 전제하
고 있다는 점 또한 사실이다.
    1920년대의 문단이 계급주의 이데올로기와 민족주의 이데올로기의 입
장에서 그 시대의 요청사항이 무엇이었나를 파악하려는 定論性에만 급급
하여 예술의 특성을 스스로 축소하였던데 반해, 『시문학』의 등장이 문학
에서 이데올로기를 반성케 한 하나의 구심점이었다고 한다면,[3] 이러한 반
성운동의 일환이었던 30년대의 순수시운동[4]과 그 방향성을 제시한 것으

---

1) 김윤식, 「서구문학의 비평과 딜레탕티슴」, 『근대한국문학연구』, 일조사, 1973, pp.332~335.
2) 김명인, 「순수시론의 환상과 현실」, 『어문논집』 제22집, 고려대 국어국문학연구회, 1981.
3) 김명인, 앞의 책, p.238.

로 평가될 수 있는 박용철의 순수시론은 결코 과소평가될 수 없을 것이다.

지금까지 이루어진 박용철 연구는 크게 두 갈래로 나눌 수 있을 것 같다. 그 첫째는 『시문학』지와 박용철과의 관계, 나아가서 이들의 시사적 의의에 관한 연구이다. 이에 대해서는 그동안 여러 사람에 의해서 논의되어 왔다. 그 가운데서도 김용직의 「시문학파연구」[5]와 김윤식의 「용아 박용철 연구」[6]는 괄목할 만한 업적들로, 전자가 박용철이 주재했던 『시문학지』를 중심으로 한 시문학 동인에 대한 종합적 연구라면, 후자는 박용철의 시를 위시한 문단활동의 전반을 고찰한 것이라 할 수 있다.

둘째는 박용철의 시와 시론에 대한 분석적 연구이다. 정태용[7]과 김학동[8]이 박용철 시를 주제와 기법면에서 분석하였다면, 한계전,[9] 김명인,[10] 김진경,[11] 정종진[12] 등의 연구는 박용철 시론의 실체에 대한 파악을 그 목적으로 하였다. 한계전은 하우스만과 박용철의 시론을 비교하고 창작과정의 시론, 페러프레이즈 反論, 형이상학파시 비판 방법론의 측면에서 그 영

---

4) 1930년대에 순수시 또는 순수문학이 대두하게 된 요인은 대체로 다음과 같이 설명된다.
　① 일제의 문화정치 종식과 만주사변 이후의 공포정치는 지식인의 사상·사고 및 언론을 통제하여 시인들로 하여금 현실과 거리가 먼 심미적 문학세계로 빠져들 것을 강요하였다.
　② 계급주의나 민족주의의 목적성과 도식성을 탈피한 세련된 문학을 요구하는 인텔리 독자층과 문학을 전공한 전문적 문인의 출현으로 인해 예술성이 강조된 시작품이 창작되었다.
　③ 모국어의식의 고조에 의한 시어의 재발견 노력과 저널리즘의 양적 팽창으로 인해 대중문학과 구별되는 순수문학이 요청되었다.
5) 김용직, 「시문학파연구」, 『한국현대시연구』, 일조사, 1974.
6) 김윤식, 「용아 박용철 연구」, 『학술원논문집』 제9집, 1970.
7) 정태용, 『한국현대시인연구·기타』, 어문각, 1976.
8) 김학동, 『한국현대시인연구』, 민음사, 1977.
9) 한계전, 『한국현대시론연구』, 일지사, 1983.
　한계전, 「용철에 있어서 하우스만 시론의 수용」, 『관악어문연구』 제2집, 서울대, 1977.
10) 김명인, 앞의 책.
11) 김진경, 「박용철 비평의 해석학적 과제」, 『선청어문』 제13집, 서울사대, 1982.
12) 정종진, 『한국현대시론사』, 태학사, 1988.

향관계를 설명하였다. 김명인은 E. A. 포우의 심미주의 문학관에서 박용
철 순수시론의 근거를 찾고 있으며, 김진경은 해석학적 관점에서 초기시
론의 문제점을 지적하였다. 한편 정종진은 전형기 예술파 시론이라는 테
두리 속에서, 박용철의 유기체 시론이 김환태, 김문집의 시론을 선도하였
음을 주장하였다.

　본고에서는 박용철 시론의 핵심이 '先詩的 體驗'과 '辯說以上'에 있음
을 주목하고자 한다. 이러한 선시적 체험과 변설이상의 의미는 그의 시론
에서 보이는 전통지향성과 서구시론의 수용양상을 밝혀봄으로써 추출될
수 있을 것이다. 박용철 시론은 한 마디로 '선시적 체험'을 '변용'시킨 것
이 시이고, 그 시적 변용의 기준은 '변설' 이상이어야만 한다는 것으로 요
약된다. 그의 시론의 이러한 핵심적 요소들은 그의 마지막 시론인 「시적
변용에 대해서」(1938)에 이르기까지 끊임없는 탐구의 대상이었던 것이며,
시작품으로 변용되어야 할 자아의 실체였다고 볼 수 있다. 따라서 필자는
박용철의 시작품과 비평문을 텍스트로 하여 그의 시론의 성립배경과 본
질, 아울러 그 변용적 의미를 고찰하고자 한다.

2. 심미적 문학관의 형성배경

1) 동양미학적 요소

　지금까지 박용철 시론의 정체를 밝히고자 한 일련의 연구들은 거의 대
부분 E. A. 포우, A. E. 하우스만, R. M. 릴케 등의 서구시론과의 영향관
계에 그 초점을 맞춰 왔다. 물론 곳곳에서 이들 시론의 흔적을 엿볼 수 있
음이 사실이고, 이들 시론에 대한 수용의 측면을 떠나서는 박용철 시론에

대한 완전한 규명이 불가능하다는 점 또한 명백하다 할 수 있다. 그러나 그의 시론에서 보이는 '先詩' 나 '無名火' 라는 용어가 다분히 도교적인 색채를 띠고 있으며, 또한 영랑시를 시적 변용의 전범으로 삼고자 했다는 점에서 우리 전통시의 서정정신과 맥락이 닿고 있기도 하다. 즉 그의 심미적 문학관은 서구 낭만주의 유기체시론의 심미적 경향뿐만 아니라 동양적 예술관, 특히 道家의 형이상학적 측면을 강하게 내포하고 있다고 보여진다.

박용철의 시론은 표면상으로는 유기적 생명론에 닿아 있고 실상은 플라톤적 모방론에 근거해 있다는 김윤식의 언급[13]은 그의 의도와는 달리 오히려 박용철 시론에 대한 도가적 이해의 단초를 제공하고 있는 것 같다. 플라톤이 『이상국』 제 10편에서 예술적 모방행위를 맹렬히 비난하였던 것은 그의 예술관이 초월적 형이상학론에 입각해 있었기 때문이다. 결국 김윤식의 논평은 박용철의 시론이 형이상학에 바탕하고 있음을 주장하는 것이고, 따라서 동양에서 형이상학적 측면을 가장 강하게 드러내고 있는 도가사상과 연결 지어 볼 수 있기 때문이다.

儒家가 '人爲' 를 선으로 보는 인간중심 사상이라고 한다면, 道家는 '無爲' 를 선으로 보는 자연중심 사상이라 할 수 있다. 특히 도가사상은 老子에 의해서 보다 높은 형이상학적 차원에 이르게 된다. 노자는 '道' 를 사유의 극치로 끌어 올리고 '無' 의 개념을 최초로 도입함으로써 우주 사물들의 변화를 다스리는 불변의 법칙을 마련코자 하였다. 이 법칙을 이해하여 인간의 행동을 이 법칙에 맞추게 되면 모든 것을 인간에게 이롭게 할 수 있음을 밝히고자 한 것이다.

---

13) 김윤식, 『한국근대문학사상연구 1』, 일지사, 1984.

道可道 非常道　도를 도라고 할 수 있으면 영원한 도가 아니며

名可名 非常名　이름할 수 있는 이름도 영원한 이름이 아니다.

無名 天地之始　무명은 천지의 시작이며

有名 萬物之母　유명은 만물의 어머니다.[14]

　이는 본체로서의 도와 현상으로서의 도를 말하고 있는 것이다. 노자는 본체의 도인 '常道'를 현상의 도인 '可道'보다 중시하고 있다. 현상은 '名'의 것들로 나타나지만 본체는 '名'으로 나타나지 않는다. 그러므로 무명이 본체의 도를 말함이며 유명은 현상의 도를 말함이다.[15] 老子의 이러한 본체론적 도의 개념은 박용철의 존재로서의 시론과 무관하지 않은 것으로 보인다.

　　시라는 것은 시인으로 말미암아 창조된 한낱 존재이다. 조각과 회화가 한 개의 존재인 것과 꼭 같이 시나 음악도 한낱 존재이다. 거기에서 받은 인상은 혹은 비애·환희·우수, 혹은 평온·명정, 혹은 격렬·숭엄 등 진실로 추상적 형용사로는 다 형용할 수 없는 그 自體數대로의 無限數일 것이다. 그러나 그것이 어떠한 방향이든 시란 한낱 高處이다. 물은 높은 데서 낮은 데로 흘러 나려온다. 시의 심경은 우리 일상생활의 수평 정서보다 더 고상하거나 더 우아하거나 더 섬세하거나 더 激越하거나 어떻든 「더」를 요구한다. 거기서 우리에게까지 그 「무엇」이 흘러 「나려와」야만 한다 (그 「무엇」까지를 세밀하게 규정하려면 다만

---

14) 『老子』 제1장
15) 윤재근, 『시론』, 둥지, 1990, pp.170~171.

편협에 빠지고 말 뿐이냐).[16]

위의 인용문은 박용철의 최초 시론인 「시문학 창간에 대하야」의 일부
이다. 여기에서 시란 한낱 '존재'일 뿐이며, 물을 흘려보내는 '高處'일 뿐
이다. 그렇다면 존재로서의 시는 바로 창조된 現詩인 것이며, 동시에 미래
에 전달될 後詩인 것이다. 그러나 존재로서의 시에서는 그 무엇이 흘러내
려와야만 한다. 그 '무엇'이란 무엇인가? 바로 "다 형용할 수 없는 그 자
체수대로의 무한수"인 것이며, 곧 先詩的인 것이다. 또한 그 선시적인 것
이 무어라 이름(名)할 수 없는 본체를 의미한다는 점에서 노자의 '常道'와
상통하고 있는 것이다.

이러한 도가적 취향은 박용철의 마지막 시론인 「시적 변용에 대해서」
에 이르러서는 '無名火'의 개념으로 확산되고 있는 바, 무명화는 선시적
체험의 시적 변용을 이끌어가는 원형적 질료라고 볼 수 있다. 이에 대해서
는 다음 장에서 좀더 구체적으로 검토하기로 하되, 우선적으로 우리가 발
견할 수 있는 사항은 이러한 간략한 대비만으로도 박용철의 시론이 단순
히 서구의 심미주의적 문학관의 수용에 의해서만 형성된 것이 아니라 동
양미학, 특히 도가적 사유방식에 그 근저를 두고 있다는 점이다.

박용철의 심미적 문학관에서 보이는 또 다른 동양미학적 요소는 김영
랑을 위시한 시문학파 시인들과의 관계에서도 찾아 진다. 박용철이 주재
한 『시문학』 창간호에는 김영랑, 정지용, 이하윤, 정인보 등이 동인으로
참가하였으며, 2호에는 변영로와 김현구가 가세하고 있다. 이 중 정인보
와 변영로의 『시문학』 참가는 박용철과의 연희전문학교 인연으로 이루어

---

16) 『박용철전집』 2, p.143.

진 것이다.[17] 특히 정인보와 박용철은 사제지간이었던 까닭에, 중국에서 동양학을 전공했던 국학자 정인보에게서 박용철은 동양학과 한시, 시조에 대한 견식을 넓히게 되었다.[18] 이러한 영향성이 그의 시작과정에서 드러나고 있는 바, 박용철시집 제4부가 시조와 한시로 구성되어 있으며, 대부분 초기에 쓰인 이들 작품에 대해서 스스로 '쩝作'이라 이름하고 있음은 그의 문학정신의 뿌리가 어디에 있었는가를 짐작하게 한다.

또한 박용철의 순수시론은 김영랑의 시를 전범으로 하여 그 이론적 틀을 형성한 것으로 이해된다. 박용철은 평론을 통해서 한결같이 영랑의 시를 높이 평가하였고, 심지어는 자작시의 대부분을 영랑과 상의하려고 애썼다.[19] 본래 수학을 전공하였던 박용철이 문학의 길로 들어선 것은 "윤식이가 나를 오입을 시켰다"[20]는 그의 진술에서 보이듯이 영랑의 권유에 의한 것이었다. 따라서 서구이론에 영향 받기 이전 박용철의 문학행위의 출발선이 영랑에서 비롯되었다고 할 때, 영랑적 요소가 박용철의 문학관에 유형·무형으로 투사되었다고 볼 수 있는 것이다.

박용철은 영랑시집을 해설하는 자리에서 키이츠의 "아름다운 것은 영원한 기쁨이다"라는 구절을 신조로 삼고 있는 영랑의 시를 서정주의의 극치라고 평가하면서 영랑시의 핵심을 유미주의라고 단정한 바 있다.

17) 이하윤, 「박용철의 변모」 『현대문학』, 1962. 12, p.231 참조.
18) "용아의 문학은 시조로 시작되었다 함이 정당할 것이다. 위당의 영향으로 인하여서도 벗은 시조 와 시를 한 시대에 같이 하여 왔었는데"(김영랑, '인간 박용철' 『조광』 5권 12호, 1939. 12, p. 318.)
19) 김명인, 앞의 글, p.245.
20) 김영랑, '후기' 『박용철전집』 1, p.746.

그는 唯美主義者다…(중략)…그는 不自由·貧窮 가튼 물질적 현실생활의 체취, 작품에서 추방하고 될 수 있는 대로 純粹한 感覺을 추구한다. 그는 의식적으로 언어의 華奢를 버리고 시에 形態를 부여함보다 떠오르는 香氣와 같은 자연스러운 호흡을 살리려 한다.[21]

이는 영랑의 시에 대한 감상으로서의 해설이지만, 의미 있는 감상이란 결국 비평의식에 의해 가능한 것이기에 이를 통해 박용철 자신의 문학관 역시 유미주의에 바탕하고 있음을 알 수 있다. 박용철의 이러한 심미적 문학관은 『시문학』 3호의 편집후기에서 적나라하게 드러난다.

美의 추구 우리의 감각에 녀릿녀릿한 기쁨을 일으키게 하는 자극을 전하는 美, 우리의 심회에 빈틈없이 폭 들어 안기는 感傷, 우리가 이러한 시를 추구하는 것은 현대에 있어 흰 거품 몰려와 부디치는 바위 위의 古城에 서 있는 감이 있습니다. 우리는 조용히 걸어 이 나라를 찾아볼까 합니다.[22]

이는 전시대부터 이어져 온 계급주의와 민족주의, 그리고 기교주의 논쟁이라는 1930년대의 문학적 현실 속에서 순수한 서정으로서의 미의 추구가 '고성에 서 있는' 것 같이 위험하고 외로운 작업임을 토로하고 있는 것이다. 시인이 이러한 순수서정의 세계에 몰입하게 될 때, 시는 자연히 절대적이고 개성적인 미의 세계에 경도되지 않을 수 없게 된다.[23] 우리는

21) 『박용철전집』 2, pp.106~107.
22) 『시문학』 3호, 1931. p.32.

이 두 편의 글에서 박용철 문학관의 심미적 경향을 살필 수 있다. 이는 박용철이 영랑의 작품을 통해서 시론의 입각점을 찾았으리라는 것을 암시하는 것이며, 그러기에 "너 참 아름답다. 거기 멈춰라고 부르짓는 한 순간을 표현하기 위하야, 그 감동을 언어로 변형시키기 위하야 그는 捨身的 노력을 한다"[24]는 영랑에 대한 평가에는 그가 시도한 순수시론의 중점이 그대로 반영되어 있다. 요컨대 김영랑을 유미주의에 결합시켜 평가한 박용철의 태도는 바꾸어 말하면 그의 시론의 바탕이라 할 수 있으며, 영랑시는 박용철 시론의 형성에 계기적인 단초를 제공하였다고 생각된다.

2) 서구의 심미주의 문학론 수용

박용철 시론의 형성에 가장 직접적으로 작용한 요소는 서구의 심미주의 문학론이라 할 수 있다. 번역시 및 시론이 『박용철전집』에서 가장 많은 지면을 차지하고 있다는 사실과, 385편의 번역시가 주로 19세기 낭만주의 시인들의 심미적이고 애상적인 서정시라는 점은 그의 문학적 관심의 방향과 영향성을 대변하고 있다. 따라서 번역시의 수준적 고하를 따지기 이전에, 이들 번역시의 심미적 태도나 서정주의가 박용철의 시론 형성에 자양분으로 작용하였을 것이고, 자연히 이들 번역시의 바탕을 이루고 있는 서구 문학이론은 박용철에 내재된 동양미학적 관심과 상호 감응하였던 것으로 보여진다. 이러한 점 때문에 그의 시론은 외래성과 전통성의 조화를 추구[25]하고 있으며, 그의 시 역시 19세기 초의 낭만주의를 그 주조로 하고 있으나 서구적인 영원과 신비에 찬 시를 지향한 것이 아니라 한국적인 영

---

23) 김훈, 「박용철의 순수시론과 기교」 『한국현대시사연구』(정한모 박사 화갑기념논총), 일지사, 1983, p.247.
24) 『박용철전집』 2, p.108.

탄정신과 현실주의에 젖어 있다[26]는 평가를 받아 왔다.

『박용철 전집』에서 거명되고 있는 외국 이론가로는 E.A.포우, A.E.하우스만, R.M.릴케 세 사람이 있다. 물론 박용철이 그들에 대해 언급하였다고 해서 직접적인 영향관계로 파악하고자 하는 것은 섣부른 오류를 범할 수 있는 위험성을 내포하고 있지만, 그러나 포우와 하우스만의 경우 그들의 이론이 박용철의 시론과 실증적으로 대비된다는 점에서 중요한 의미를 띤다고 하겠다.

박용철의 시론에 보이는 포우의 영향성에 대해서는 앞에서 언급한 김명인의 논문에서 거의 유일하게, 그리고 본격적으로 다루어진 바 있다. 본고에서는 김명인의 논지를 바탕으로 하되 여기에 몇 가지의 실증적인 측면들을 첨언하고자 한다. 포우는 영어권에서 심미주의적 견해를 제창한 최초의 비평가로 알려져 있거니와, 그의 문학론은 예술을 위한 예술 및 순수시의 기본적 관념을 예기케 한다.[27] 포우의 이러한 시론이 박용철에게 영향을 주었으리라는 점은 그들의 시론을 대비하지 않더라도, 박용철이 영랑에게 자신의 시 「부엉이 운다」의 작시과정을 설명한 편지[28] 속에도 드러난다. 여기에서 박용철은 「부엉이 운다」를 창작할 때 포우의 「까마귀」를 참고하고자 했음을 말하고 있다. 「까마귀」는 포우의 문학이론서인 『시작원리』[29]에 그 작시 경위와 함께 실린 작품으로서, 박용철이 비록 불완

---

25) 양혜경, 「박용철 시론의 전통지향성 연구」『동아어문논집』 3, 동아대, 1993, p.114.
26) 김명인, 『한국근대시의 구조연구』, 한샘, 1990, p.209.
27) R.V. Johnson, 이상옥 역, 『심미주의』, 서울대출판부, 1979. p.80.
28) 六年冬(1926년 겨울)에 초잡힌 것을 이제야 맨들었네. 3에서 부엉이 우름 부엉이 우름 해 봤으나 통일시키는 것이 나을 듯 해서 전부를 부엉이 우름으로도 해보고 싶지마는 너무 절박할 것 같데. Poe의 鴉는 nevermore에, Leonore로 韻을 마쳐서 공포의 효과를 얻었다고 하데마는 첫머리만 읽어 본 일이 있으나, 이 시를 맨들기 전에 전부를 참고할랴든게 이루지 못했네.(『박용철전집』 2, p.340.)

전하게나마 이 책을 읽었으리라는 점을 짐작하게 한다.

「시문학 창간에 대하야」(1930), 「辛未 시단의 회고와 비판」(1931), 「효과주의적 비평론강」(1931)에는 박용철의 초기시론이 피력되어 있다. 여기에서 박용철이 강조하고 있는 것은 시를 조각, 회화, 음악 등과 같이 일종의 객관적 '존재'로 보는 이른바 순수시적 관점이다. 시를 객관적 존재로 본다는 것은 일차적으로 시에서의 어떠한 이데올로기적 요소도 불순한 것으로 간주 배격해야 하며, 아울러 시의 심미적 예술성을 추구하는 입장이다.

> 시의 가치는 거기에 담긴 교훈에 따라 판별되는 것이 아니라, 시 자체만을 위해서 판별된다. 시는 그 자체에 있어서의 시, 오직 시일 뿐 그 이상의 아무 것도 아니며, 단순히 그 시 자체를 위해 쓰인 시보다 더 완벽한 존엄성이 있고, 더 고귀한 시는 존재하지 않을 뿐더러 존재할래야 할 수도 없다. 교훈은 시의 진정한 목표에 이바지 해야 하고, 그 목표는 아름다움을 명상하는 가운데 우리의 영혼을 흥분시키는 것이며, 아름다움에 대한 갈망은 곧 인간이 영원한 존재의 결과인 동시에 그 증거이기도 하다.[30]

위의 인용문에서 우리는 포우의 논지를 세 가지로 요약해 볼 수 있다. 첫째, 시의 가치는 교훈성에 있지 않다는 것이고 둘째, 시는 그 자체에 있어서의 시일뿐이며 셋째, 시의 진정한 목표는 아름다움에 대한 갈망에 있다는 것이다. 이러한 포우의 입장이 박용철 시론에서는 '변설이상', '한낱

---

29) E. A. Poe, 「The Poetic Principle」 Poems & Essays, 1948.
30) 위의 책, pp.95~97.

존재', '미의 추구' 등으로 나타난다. 이는 결국 박용철의 존재로서의 시
론이 포우의 심미적 문학관으로부터 심대하게 영향 받았음을 의미하는 것
이며, 그에 있어서의 시란 "존재라는 것, 그것은 일상적 정서로부터 분리
된 특수한 느낌, 예외적인 순간에서 다루어진다는 것, 그리고 분석을 거부
하는 감상자의 입장에서만 접근될 수 있다는 것"[31] 등으로 설명되어진다.
이러한 존재론적 시론을 대변하는 대표적 자작시가 「떠나가는 배」이다.

　　나 두 야 간다
　　나의 이 젊은 나이를
　　눈물로야 보낼거냐
　　나 두 야 가련다

　　안윽한 이 항구—ㄴ들 손쉽게야 버릴거냐
　　안개가치 물어린 눈에도 비최나니
　　골잭이마다 발에 익은 뫼ㅅ부리모양
　　주름쌀도 눈에 익은 아—사랑하든 사람들

　　버리고 가는이도 못닛는 마음
　　쫓겨가는 마음인들 무어 다를거냐
　　돌아다보는 구름에는 바람이 회살짓네
　　앞대일 어덕인들 마련이나 잇슬거냐

---

31) 김명인, 앞의 글(1981), p.251.

나 두 야 간다

나의 이 젊은 나이를

눈물로야 보낼거냐

나 두 야 간다

　　　－「떠나가는 배」 전문

　　이 시의 작시 동기를 박용철은 "꿈같이 드러누운데 어쩐지 눈물 흘리며 떠나가는 배가 보이데. 그저 떠나가는 배일 뿐이야. 그래 그대로 풀어놓은 것이 그 시가 되었네. 잘잘못은 두고라도 성립의 과정은 상징의 본격이야"[32]라고 설명한다. 꿈과 같은 상황, 즉 환상적 세계 속에서 눈물 흘리며 떠나가는 배를 보았고, 그 환상을 그대로 풀어놓은 것이 이 시라는 것이다. 환상이란 무의식의 세계이고, 무의식 속에서는 인간의 자아가 대상이나 현상을 구속하려 하지 않는다. 자아로서의 '나'와 대상으로서의 '배'는 일정한 거리를 유지하며 서로를 관조할 따름이다. 즉, 이 시의 시작과 끝은 그 전체가 시인의 환상 속에 어느 한 순간 스쳐 지나간 선시적 체험으로서의 미적 영감이며, 글로 풀어놓은 상태에서는 하나의 존재일 뿐이기에, 그 작시과정을 '상징의 본격'이라 할 수 있는 것이다. 여기에서 그의 심미주의적이고 존재론적인 시론의 일단을 확인할 수 있다.

　　박용철의 후기시론, 즉 그의 발전된 순수시론은 하우스만과 릴케의 수용을 통해 이루어지게 되었다. 유일한 번역 논문인 하우스만의 「시의 명칭과 성질」[33]을 통해 박용철은 자신의 시론에 명석성을 부여한 것으로 생각

---

32) 『박용철전집』 2, pp.327~328.
33) A. E. 하우스만, 『박용철전집』 2, p.51~75.

되며, 논리 전개의 방법론을 깨우쳐 간 것으로 이해된다. 포우에 대한 강한 편향성을 보였던 박용철의 초기시론은 시를 존재로 생각하는, 즉 시에서 심미적 예술성을 찾아내려는 소박한 낭만주의적 시관에서 크게 벗어나지 않았었다.

그러나 하우스만의 시론을 번역하고 난 이후의 후기시론에서는 시의 창작과정에 관해 논함으로써 좀더 체계적이고 발전된 이론적 틀을 보여주고 있는 바, 초기시론이 감상자의 입장에서 써진 것이라면, 후기시론은 창작자의 입장에서 써진 것이다. 그 후기시론의 대표적인 비평문이 바로 「을해시단총평」(1935), 「기교주의설의 허망」(1936), 「시적 변용에 대하여」(1937) 등이다.

하우스만의 「시의 명칭과 성질」은 순수시 이론을 전개한 논문으로서 박용철이 종래에 생각하고 있던 정서 위주의 존재로서의 순수시론과 유사한 점이 많은 것이었다.[34] 가령, 시작의 성공은 "본능적 분별과 청각의 자연적 우수에 의거하는 것"이라거나 "시는 말해진 내용이 아니요, 그것을 말하는 방식이다", 또는 "의미는 지성에 속한 것이나 시는 그렇지 않다"라는 하우스만의 말[35]에서 박용철은 자신의 순수시론이 나아가야 할 지향점을 확인하였다고 볼 수 있다. 즉, 하우스만의 시론이 정교한 감수성에 그 바탕이 있고, 삶에 대한 어떤 기준과도 무관한 것이라고 한다면, 그것은 박용철의 순수시론의 핵심과 맞닿아 있게 된다.

한편, 릴케에 대한 언급은 박용철의 시론 「시적변용에 대해서」에서 이루어진다. 그는 "시는 보통 생각한 것같이 단순히 감정이 아닌 것이다. 시

---

34) 김훈, 앞의 글, p.247.
35) 「박용철전집」 2, p.60.

는 체험인 것이다."고 한 릴케의 표현[36]을 빌어 시는 체험이며, 그리고 그 체험을 순수화시키는 기다림의 순화이고, 그 끝에 시가 탄생한다고 말한다. 그러나, 이것은 실상 릴케의 본질과는 무관한 것이며, 박용철의 순수시론의 핵심 또한 체험론에 있는 것은 아니다. 따라서 박용철 순수시론의 지속적인 바탕은 '미의 추구'로 결집된 심미적 편향성이라고 할 수 있으며, 이는 포우와 하우스만의 시론에서 그 연원을 찾음이 더 타당할 것이다.

3. 순수시론의 변용적 의미

박용철의 시론을 가리켜서 우리는 흔히 순수시론, 존재로서의 시론, 혹은 창작과정의 시론, 변용의 시론이라 부른다. 앞의 두 가지가 시는 무엇인가라는 총론적인 물음에 대한 박용철의 입장을 대변하는 것이라고 한다면, 뒤의 둘은 시가 어떻게 써지는가라는 각론적 문제를 다루고 있다는 점에서 붙여진 명칭이다. 이렇게 이름하는 것은 그의 시론이 시의 교화적 기능을 배격하고 시를 하나의 존재로 인식하는 순수시 지향의 유기체시론이기 때문이며, 또한 시인으로부터 시가 탄생되는 과정, 즉 선시적인 것이 시적으로 변용되기까지의 과정을 다루고 있기 때문이다. 여기서 우리는

---

36) 「시적 변용에 대해서」에 인용된 릴케의 말을 빌면, 시는 감정이 아니라 체험이지만, 체험만으로는 부족해서 온갖 일상사에 대한 기억이 있어야 한다고 말하면서 또다시 다음과 같이 이어간다. "그러나 이러한 기억만으로도 넉넉지 않다. 기억이 이미 많아질 때는 기억을 잊어버릴 수 있어야 한다. 그리고 그것이 다시 돌아오기를 기다리는 말할 수 없는 참을성이 있어야 한다. 기억만으로는 시가 아닌 것이다. 다만 그것들이 우리 속에 피가 되고 눈짓과 몸가짐이 되고 우리 자신과 구별할 수 없는 이름없는 것이 된 다음이라야―― 그 때에라야 우연히 가장 귀한 시간에 시의 첫말이 그 한가운데서 생겨나고 그로부터 나아갈 수 있는 것이다." (『박용철전집』, p.52.)

박용철이 의도한 순수시, '존재로서의 시'로의 변용이란 무엇이며, 어떠해야 하는가라는 명제에 부딪치게 된다. 따라서 이에 대한 해명은 박용철 시론의 의미를 파악하기위한 가장 본질적이고 궁극적인 작업이 될 것이다.

1) '先詩的 體驗'과 변용의 시론

어떠한 시이든, 시는 그것이 문자로 기록되어 독자에게 전달되기 이전부터 이미 시인의 내면에서 시의 모습을 갖추기 시작한다. 모방론적 관점에서든 표현론적 관점에서든 간에, 예술행위의 한 분야로서, 문학의 한 장르로서의 시는 시인의 창작과정을 거쳐 나오기 때문이다. 이러한 시 이전의 것을 '선시적'인 것이라 한다면, 그것이 시인과의 관계 속에서 어떻게 작용하는가에 따라서 각각의 시는 서로 다른 모습으로 구체화되는 것이다. 예컨대, 선시적인 것의 표출이 직접적인가 형상적인가에 따라서, 혹은 그것이 정서에서 배태된 것인가 이성에서 배태된 것인가에 따라서 그 창작물은 낭만시, 주지시, 서정시, 사회시 등 여러 모습으로 나타나게 될 것이다. 그렇다면 박용철에 있어서 선시적인 것과 그 변용의 문제는 어떠한 의미망을 갖고 있는가. 그 실마리는 '선시적'이란 용어가 직접적으로 등장한 비평문 「시적 변용에 대해서」에서 찾아진다.

> 靈感이 우리에게 와서 시를 잉태시키고는 수태를 告知하고 떠난다. 우리는 처녀와 같이 이것을 경건히 받들어 길러야 한다. 조금이라도 마음을 놓기만 하면 消散해버리는 이것은 鬼胎이기도 하다. 완전한 성숙이 이르렀을 때 胎盤이 회동그란이 돌아 떨어지며 새로운 창조물 새로운 개체는 탄생한다.
>
> … (중략) …

羅馬古代에 성전가운데 불을 貞女들이 지키던 것과 같이 은밀하게 작열할 수도 있고 연기와 화염을 품으며 타오를 수도 있는 이 無名火 가장 조그만 감촉에도 일어서고, 머언 향기도 맡을 수 있고, 사람으로 서 우리가 아무 것을 만날 때에나 어린 호랑이 모양으로 미리 怯함없이 만져보고 맛보고 풀어볼 수 있는 기운을 주는 이 無名火, 시인에 있어 서 이 불기운은 그의 시에 앞서는 것으로 한 先詩的인 문제이다.[37]

시를 체험이라고 했던 박용철은 그 체험을 무명화의 개념으로 확산시 켜 선시적인 문제로 다루고 있다. 여기에서 우리는 다시 老子의 道의 개념 을 떠올려 볼 필요가 있다. "영감이 우리에게 와서 시를 잉태시키고는 수 태를 고지하고 떠나"는 체험은 황홀한 미적 체험이며, 그리고 이 황홀한 상태는 노자에게 있어서 도의 경지이다.[38] 노자가 지적한 황홀의 경지란 일상적인 것이 아니라 절대의 생각에 이르렀을 때 그 절대의 것에 순종하 는 마음의 상태에 속한다. 이러한 황홀은 실존에서 벗어나야만 가능하다 는 점에서, 결국 존재의 문제로 귀결된다.

노자는 존재의 문제를 유·무의 관계 속에서 파악한다. "천지의 모든 것 은 유에서 생하고 그 유는 무에서 생한다.(天地萬物生於有 有生於無)"[39]라 고 하여 모든 사물의 존재양상을 유·무의 개념으로 수렴하고 있다. 말하자 면 있는 것(有)만을 인정하는 것이 아니라 없는 것(無)까지 포함해서 유무 의 상호관계에서 인정해야 道가 내포하고 있는 존재성에 접근할 수 있는

---

37) 『박용철전집』 2, pp.8~10.
38) 老子, 『도덕경』 21장.
　　"道라는 것은 황홀할 뿐이다. 황홀한 그 속에 모든 물상이 있고, 황홀한 그 가운데 사물이 있다.
　　(道之爲物 惟恍惟惚 惚兮恍兮 其中有象 恍兮惚兮 其中有物)"
39) 위의 글 40장.

것이다.[40] 이에 비추어 볼 때 바용철이 시를 '한낱 존재'라고 한 것은 유로서의 존재를 말함이며, 그것이 무로서의 존재인 선시적 체험으로부터 잉태됨을 인식하였던 것으로 볼 수 있다.

앞 장에서 언급하였던 無名天地之始요, 有名萬物之母라 함은 박용철의 위의 인용문과 상통하고 있다. 이름할 수 없는(無名) 영감으로부터 시는 잉태하는 것이요, 시인의 産苦를 거쳐 창조된 시는 그 존재를 이름할 수 있는(有名) 만물과 같은 것이다. '가장 조그만 감촉에도 일어서고', '머언 향기도 맡을 수 있고', 사람으로서 우리가 아무 것이나 '만져보고 맛보고 풀어볼 수 있는' 기운을 주는 無名火는 노자의 도에 있어서 무명의 개념과 다름 아닌 것이다.

한편, 박용철의 시론은 원론적인 것에 입각해 있고, 사회의식이나 시대의식의 배제, 순수성과 先詩的인 자리를 마련하는 데 그 특색이 있다. 시가 짓는 기교보다는 '속의 덩어리'에서 나온다고 한 박용철의 말은 기교 이전의 상태, 곧 정서의 중요성을 각성한 것으로 보여 진다. 이러한 先詩的인 것으로서의 그의 정서의 본질은 하우스만의 창작과정에 대한 시론과 대비되어야만 명백해질 수 있는 것이다.

내 생각에는 詩의 산출이란 제 1단계에 있어서 능동적이라는 것보다 오히려 수동적 非志願的 과정인가 한다. 만일 내가 시를 정의하지 않고 그것이 속한 사물의 種別만을 말하고 말 수 있다면, 나는 이것을 分泌物이라 하고 싶다. 縱나무의 樹脂같이 자연스런 분비물이던지 貝母속에 진주같이 현명하게 그 물질을 처리했다고 할 수는 없으나, 나는 내

---

40) 윤재근, 앞의 글, p.73.

가 조금 건강에서 벗어난 때 이외에는 별로 시를 쓴 일이 없다. 作詩의 과정 그것은 유쾌한 것이지마는 一般으로 불안하고 피로적인 것이다.[41]

이는 하우스만 시론의 기본 입장으로서, 작시상의 비밀을 재현시킨 창작과정으로서의 시론이라 할 수 있다. 하우스만의 이러한 기본입장은 박용철의 「시적변용에 대해서」에 나타난 시론 발상과 밀접한 유사성을 보여준다. 박용철에 의하면, 시에 앞서서 닦아지는 경험의 순수화에 대한 기다림과 참을성, 즉 '先詩的 체험'은 새로운 창조물로서의 시의 모체가 되며, 이 필연성의 변용에 의하여 시를 탄생시킬 수 있다는 것이다.

흙 속에서 어찌 풀이 나고 꽃이 자라며 버섯이 생기고? 무슨 솜씨가 피 속에서 시를, 시의 꽃을 피여나게 하느뇨? 變種을 만들어 내는 園藝家 하나님의 다음가는 創造者. 그는 실로 교묘하게 배합하느니라. 그러나 몇곱절이나 더 참을성있게 기다리는 것이랴![42]

하우스만과 박용철은 시가 의도적으로 만들어지는 것이 아니며 시의 창작이 자연적 생리적 성격을 지니고 있다는 점에서 일치한다. 시 창작이 어떤 의도성이나 목적성에 좌우될 수 있는 것이 아니며 생명의 수태를 기다리듯이 오직 참을성 있는 기다림에 의해서만 가능하다는 박용철의 논리는 하우스만의 '수동적 비지원적 과정'에 대한 해설이다. 결국 시의 창작

---

41) A. E. 하우스만, 앞의 글, p.72.
42) 『박용철전집』 2, p.4.
43) 한계전, 앞의 글(1977), pp.59~60 참조.

과정에 있어서 기교보다 우선하는 것이 하우스만의 '분비물'이라 한다면 박용철에 있어서는 '피'이다. 피란 곧 우리의 영혼이나 정신을 의미하는 것이기에 박용철은 모든 체험이 '피 가운데'로 용해되며 그 피 속에서 '시의 꽃'이 피어난다고 한다.

하우스만과 박용철 시론은 공통적으로 시의 방법론보다는 시의 원형으로서의 정신적 定向을 밝히는 데에 더 관심을 두고 있으며, 그 구체적인 근거를 詩作의 진통으로서의 선시적 체험에서 찾는다는 점에서 유사성을 보여준다. 시는 송진이나 조개 속의 진주와 같은 '분비물'이며 시가 태어나는 곳을 '위의 명치'라고 한 하우스만의 관념이 박용철에 와서는 '영혼'과 '피'로 치환되어 있으며, 이는 다시 '속의 덩어리'로 표현된다. 즉 박용철 시론에서 볼 수 있는 '덩어리' '영혼' '피'로서의 변이란, 하우스만에서의 '덩어리' '영혼' '위의 명치'와 서로 밀접하게 대응되는 관계라 볼 수 있다. 그러나 이것은 어떤 사상의 덩어리가 아니라 일종의 정서의 덩어리라는 점에서 상징주의 시론이나 모더니즘 시론과는 상당한 거리에 있음을 알 수 있다.[43]

'선시적 체험'이 이처럼 존재로서의 시를 가능하게 하는 원형질, 즉 常道라 부를 수 있는 無名의 것이며 그것이 시 이전의 생명적 또는 생리적 현상으로서의 정서를 가리킨다면, 박용철 시론에 있어서 시적 변용의 의미는 무엇이며 어떻게 이루어지는 것인가?

기묘한 配合 考案 技術 그러나 그 위에 다시 참을성있게 기다려야 되는 變種發生의 챈스.[44]

---

44) 『박용철전집』 2, p.4.

이는 박용철이 시 창작과정의 마지막 단계를 설명하는 말이다. 언뜻 선시적 체험의 시적 변용이 기교에 의해서 이루어짐을 말하는 것 같다. 그러나 사실은 시의 기교를 중시한다기보다 '기다림'을 중시하고 있다. 체험의 변종, 그것은 곧 변용이 이루어진 現詩인 것이며 이러한 변종 발생의 챈스는 의도적인 기교나 목적에 의해서 만들어지는 것이 아니라, 참을성 있는 기다림 속에서 어느 한 순간에 찾아오는 것이다. 그러므로 선시적 체험과 그 체험의 불길인 무명화에 의해 다시 시가 진전된다는 '교호작용'으로서의 변용은 계기적이라기보다는 동시적으로 이루어진다.

또한 박용철에 있어서 시의 기교는 선시와 현시를 연결하는 매개물이 아니라 이미 선시적으로 내재되어 있는 체험의 방식이라 할 수 있다. 「떠나가는 배」의 작시 동기를 스스로 설명하면서 시적 변용의 과정을 '상징의 본격'이라 하였던 점은 바로 여기에서 기인한다. 따라서 박용철 시론에서의 변용의 의미 역시 기교적인 것이 아니라 체험적인 것이다. 즉 선시적 체험의 시적 변용이라는 것은 체험의 정서적 순화과정이며, 그것이 자연의 법칙처럼 시로 전화되기 때문이다.

릴케로부터 그 기본적인 의미를 차용하고 하우스만에게서 논리 전개의 근거를 도움 받은 박용철의 변용의 의미는 그러나 실제로는 그들과 구분되는 면을 가지고 있다. 시를 체험의 변용이라고 할 때, 반기독교적 사상의 소유자인 릴케의 체험이 사회적 이성적인 것이라면 靈感으로 표현되는 박용철의 체험은 개별적 정서적인 것이다. 또한 형이상학파 시에 대한 반박으로 제기된 하우스만의 시론이 "시는 말해진 내용이 아니요, 그것을 말하는 방식이다", "언어와 그 지적 내용 즉 의미와의 결연은 상상할 수 있는 가장 긴밀한 결합이다"[45]라 하여 변용과정에서의 '기교'에 관심을 보이고 있다면, 박용철의 시론은 기교까지도 선시적 체험으로 포괄함으로써 오히려 형이상학적 성격의 일단을 보여준다. 이는 앞에서 제시한 바 있는 동양미학적 관심, 특히 도가적 소양과 그의 문학 활동 초기에 수용했던 포우의 영향성이 후기까지도 지속되고 있었던 까닭으로 생각된다.

2) '辯說以上'의 반이성·반기교주의

박용철 시론에서의 변용의 의미는 선시적 체험과 더불어 '辯說以上'을 통해서도 그 핵심적 요체가 파악된다. '변설이상'의 시론은 「을해시단총평」(동아일보 1935. 12. 25)으로부터 전개되는데, 이는 임화가 「담천하의 시단일년」(『신동아』1935. 12)에서 김기림, 정지용, 신석정류의 시를 기교주의라 비판한데 대한 반론으로 제기한 것이다. 동시에 임화가 주창한 계급문학으로서의 시란 시가 아니라 '변설'일 뿐이며, 시는 "특이한 체험이 절정에 달한 순간의 시인을 꽃이나 혹은 돌멩이로 정착시키는 것과 같은 언어 최고의 기능을 발휘시키는 길"이어야 한다고 논박한다.

또한 박용철은 변설과 대척점에 서 있는 것으로 생각할 수 있는 '기교'까지도 비판한다. 김기림의 기교주의가 대중과 영합하여 시를 경박한 수단 혹은 실험의 도구로 전락시키고 있음을 「기교주의설의 허망」(동아일보 1936. 3.18)에서 지적하고 있는 것이다. 이런 점에서 '변설이상'은 반이성·반기교적 성격을 갖는, 박용철 나름대로의 순수시의 방향성과 시적 변용의 기준으로 제시된 것이라 할 수 있다. 그렇다면 '변설이상'은 그의 시론의 맥락 속에서 어떠한 의미로 작용하고 있는가?

---

45) 위의 글, p.60.

현실의 본질이나 刻刻의 전이를 敏速 正確히 인지하는 것은 인간 일 반에게 요구되는 이상이오 시인은 이것을 인지할 뿐 아니라 영혼의 가 장 깊은 속에서 그것을 體驗하는 사람이어야 한다. 그러나 이것까지도 思考者 일반에게 요구될 수 있는 것이요, 그 위에 한걸음 더 나아가 최 후로 시인을 결정하는 것은 이러한 모든 깊이를 가진 자신을 한송이 꽃으로 한마리 새로 또는 한 개의 毒茸으로 변용시킬 수 있는 능력에 있다.[46]

위의 인용문은 "시인은 시대현실의 본질이나 그 각각의 세세한 전이 의 가장 민첩하고 정확한 인지자이어야 하고 그것을 시적 언어로 반영 표 현해야 한다"고 한 임화의 논지에 대한 반박이다. 박용철에 따르면 시대현 실을 시적 언어로 반영 표현하는 것은 '설명적 변설'일 뿐이며, 이는 시인 이 아닌 일반인이라도 가능하다. 이를 영혼 속에서 체험하고 한 송이 꽃으 로 한 마리 새로 변용할 수 있어야만 진정한 시인으로서 변설이상의 시를 창조할 수 있는 것이다. 따라서 시인은 '하느님의 다음가는 창조자'로서 道의 경지에 이르러야 한다.

전술한 바 있지만 도가에서의 시, 즉 詩道라 함은 유명과 무명을 통한 본체로 이해된다. 도가에서의 시 표현은 그러므로 자연이며 자유이고 無 爲인 것이며, 노자가 말한 '孔德之容'[47]의 容이라 할 수 있다. 용이란 멈 추어진 모습이나 모양이 아니라 끊임없는 창조적 작용이기 때문이다. 또

---

46) 위의 글, p.87.
47) 노자는 『도덕경』 21장에서 '孔德之容'으로 도를 설명하고 있는 바, '孔德'은 유·무의 상관을 통 한 도의 해명이며 동시에 그 해명이 바로 '容'으로써 암시되고 있다. 노자는 容이란 황홀하고 그윽한 것이며, 그 속에 象·物·精·信이 있다고 한다.

한 도가에서는 체험을 결정하는 것이 아니라 체험의 가능성을 부단히 약속하여 변용하는 것을 시적 표현이라 보고 있다.[48] 이러한 도가의 시관이 박용철의 시론과 일맥상통하고 있음을 긍정할 때, 박용철의 '변설이상'의 시란 有名만의 변설이 아닌 유명과 무명이 상통하는 자연 그대로의 것, 무위의 것이라 하겠다.

　　아름다운 辯說, 적절한 辯說을 누가 사랑하지 않으랴, 그것은 우리 인생의 기쁨의 하나다. 시가 언어를 媒材로 하는 이상 최후까지 그것은 일종의 辯說이라고 볼 수도 있다. 그러나 그것은 결정되고 응축되어서 그 가운데의 一語一語가 일상용어와 외관의 상이함은 없으나 시적 구성과 질서 가운데서 승화된 존재가 되어야 한다.[49]

시를 순수예술로 보려는 생각은 시의 교화적 기능을 가장 완벽하게 배격한다. 임화의 시론이 '생활의, 현실의, 문제의 辯說'을 주창하는 내용우위론 시관이라 한다면, 「을해시단총평」에 나타난 박용철의 시론은 그 본질이 현실생활과 시대정신을 대변하는 데 있는 것이 아니라 "영혼의 가장 깊은 속에서 체험"한 것을 시적으로 여하이 변용시킬 수 있는가의 여부에 있는 것이다. 박용철의 이러한 변설이상의 시론은 하우스만의 '언어와 의미와의 긴밀한 결합'과도 일치되며, 하우스만 시론이 지니고 있는 '패러프레이즈 反論'(heresy of paraphrase)[50]적 성격을 그대로 보여주고 있

---

48) 윤재근, 앞의 글, pp.89~90 참조.
49) 『박용철전집』 2, p.87.
50) 한계전은 '박용철에 있어서 하우스만 시론의 수용'에서 하우스만 시론의 성격을 C. Brooks의 용어를 빌려서 패러프레이즈반론에 해당한다고 규정한다.

기도 하다.

하우스만은 시비평에서 想(내용)이 그리 중요한 요소가 아니라는 점, 또한 산문으로 표현하기에 너무 고귀한 진리란 있을 수 없다는 점, 그러므로 시에서의 내용은 시적 표현과의 긴장된 결합에 의해서만 이루어질 수 있다는 점[51] 등을 말하고 있다. 이는 패러프레이즈(詩說)에 대한 反論인 것이며, 이러한 영향성이 박용철의 임화에 대한 비판에서 극명하게 보여주고 있는 것이다.

한편 박용철의 변설이상의 시론은 역설적으로 기교주의에 빠지는 것도 경계한다. 이러한 태도는 김기림에 대한 비판에서 구체화되는데, 박용철은 선시적인 정신이 언어와 부딪치면서 표현의 가능성을 찾는 접합점으로서의 기교의 의미를 검증하고, 그것은 "수련과 체험의 축적의 결과 얻어지는 것"이라 하여 '기교' 라는 용어를 '기술' 로 대체할 것을 주장한다. 그에 의하면 기술은 "목적에 도달하는 도정으로서의 媒材를 구사하는 능력"으로 정의되는데, 그러한 기술은 선시적인 강렬한 충동이 있어야만 존재 의의를 갖는다. 따라서 예술 이전의 충동, 즉 영감의 잉태가 "완전한 성숙에 이르렀을 때 태반이 회동그란이 돌아떨어지며 새로운 창조물 새로운 개체가 창조"되게 되고, 이것이야말로 진정한 의미의 기술이라는 것이다.

결국 박용철은 인간 혹은 자연적 존재의 부분이나 모습을 변설적 전달이나 의도적 가공을 통해 변형시키는 것에 목표를 두는 것이 아니라[52], 선시적 체험이 변설 이상으로 변용된 시를 창조하고자 하였던 것이다. 이는 반이성·반기교의 시 지상주의적 자세이며 그가 그토록 열망하였던 순수

---

51) 『박용철전집』 2, pp.82~84.
52) 이명찬, 「박용철 시론의 의미」 『한국현대시론사』, 모음사, 1992. p 278.

124 호남문학과 근대성 연구1

시론의 성과이자 동시에 한계라고 할 수 있다. 그럼에도 불구하고 박용철의 시론이 임화와 김기림을 비판하는 실천비평으로 전개되었던 까닭에, 프롤레타리아 문학론과 모더니즘 시론을 동시에 거부하는 독자적인 위치에서 1930년대 예술파 문학론을 선도하는 역할을 담당하였다고 보여진다.

4. 맺음말

시문학파의 유일한 이론분자였고 1930년대의 우리 시단에서 시의 창작과정을 밝히고자 한 독보적 존재였던 박용철의 시론은 지금까지 순수시론, 존재의 시론, 창작과정의 시론, 변용의 시론 등으로 언급되어져 왔다. 이는 박용철 시론이 보여준 심미주의적 존재 탐구, 그리고 시적 변용에의 끊임없는 관심 등에 기인한다. 따라서 박용철 시론의 변용적 의미를 이해하기 위한 요체는 '선시적 체험'과 '변설이상'에 있게 된다. 이러한 두 가지 핵심적 요소들은 박용철의 문학관이 심미적이었던 데서 발아되었던 것이고, 전자가 시적 변용의 대상이었다면 후자는 그 기준으로 작용하여 왔다.

박용철의 심미적 문학관이 포우, 하우스만 등의 영향에 의해 형성되었음이 주지의 사실이기는 하지만, 그러나 기존의 논의에서처럼 서구시론의 영향으로만 파악하여서는 그 본질에의 완전한 접근이 불가능하다. 그것은 박용철의 성장환경에서 뿐만 아니라 그의 시론에서 보이는 주요 개념들이 동양적 예술관, 특히 도가의 형이상학적 측면을 강하게 내포하고 있기 때문이다. 즉 박용철이 시를 하나의 존재로 파악하고자 한 것은 노자의 본체론적 도의 개념과 상통하고 있다. 따라서 동·서양 시관에 대한 박용철의 소양과 영향관계에 의해서 형성된 박용철 시론의 변용적 의미는 다음과 같이 요약될 수 있다.

첫째, 박용철의 존재로서의 시는 道家의 존재 개념인 유·무의 상관관계로 설명될 수 있다. 선시적 체험은 無의 존재인 것이며 여기에서 現詩에로의 변용이 이루어진다. 즉 선시적 체험은 존재로서의 시를 가능하게 하는 원형질인 無名의 것이다.

둘째, 선시적 체험은 새로운 창조물로서의 시의 본체가 되며, 이 필연성의 변용에 의하여 시가 탄생된다. 즉 시의 창작과정을 자연적 생리적 성격으로 파악한다는 점에서 하우스만의 시론과 유사성을 갖는다.

셋째, 박용철에 있어서의 변용의 의미는 릴케, 하우스만과 구분된다. 릴케의 체험이 사회적 이성적인 것이라면 박용철의 체험은 개별적 정서적인 것이다. 하우스만의 시론이 변용과정에서의 '기교'에 관심을 갖는데 반해 박용철의 시론은 기교까지도 선시적 체험으로 포괄하는 형이상학적 측면을 보여준다.

넷째, '변설이상'의 의미는 임화와 김기림에 대한 동시 비판을 담보함으로써 반이성·반기교적 성격을 갖는, 박용철 나름의 순수시의 방향성과 시적 변용의 기준으로 제시되고 있다. 그러나 선시적 체험이 변설 이상으로 변용된 시를 창조하는 데에만 몰두한 나머지 인간의 본질적 문제를 도외시한 시 지상주의적 태도를 견지함으로써 그의 시론이 본격적인 창작방법론으로 성립되는데 스스로 장애 요인을 안고 있었다는 점에서 그 한계가 있다 하겠다. 그럼에도 불구하고 박용철의 시론은 목적론적 창작 태도를 보인 프롤레타리아 문학론과 기교주의에 흐르고 만 모더니즘 문학론을 거부한 정서이론으로서, 1930년대의 김환태, 김문집 등 예술파 시론가들의 입지를 제공한 선도적 시론으로서의 역할을 담당하였다는 점에서 그 의의를 찾을 수 있다.

▎▎▎ 참고문헌

『박용철전집』 1·2, 시문학사, 1940.

김명인, 「순수시론의 환상과 현실」 『어문논집』 22집, 고려대, 1981.

김용직, 『한국현대시연구』, 일지사, 1974.

김윤식, 『근대한국문학연구』, 일조사, 1973.

김 훈 외, 『한국현대시사연구』, 일지사, 1983.

윤재근, 『시론』, 둥지, 1990.

이명찬 외, 『한국현대시론사』, 모음사, 1992.

정종진, 『한국현대시론사』, 태학사, 1988.

정태용, 『한국현대시인연구·기타』, 어문각, 1976.

정한모, 『한국현대시문학사』, 일지사, 1978.

한계전, 「박용철에 있어서 하우스만 시론의 수용」,

　　　『관악어문연구』 2집, 서울대, 1977.

R.V. 존슨, 이상옥 역, 『심미주의』, 서울대출판부, 1979.

댄디스트, 슬픔에, 매혹되다 : 김영랑

김영삼*

1. 그 수심 뜬 보랏빛 ; '슬픔'의 정서

『영랑 시집』[1]은 무엇보다 마음의 결을 말의 리듬에 실어 놓은 시집이다. 이 때 김영랑의 마음이 드러나는 통로가 바로 자연인 바, 제목 대신 일련번호로만 구성된 이 시집의 53편이 한결같이 맑고 아름다운 자연의 서정을 노래하고 있다고 보는 것도 무리는 아닌 듯싶다. '돌담에 소색이는 햇발'이나 '풀 아래 우슴짓는 샘물', '여울에 희롱하는 갈잎' 같은 표현 정도야 주체와 객체의 뒤섞임과 의인화에 기대어 만들어진 평범한 수준쯤으로 보아도 무방할 듯 하다. 하지만 그 표현이 모란이 뚝뚝 떨어져 버린 어느 수심 깊은 저녁 무렵의 울컥하는 마음을 '먼 산허리에 슬리는 보랏빛 / 오! 그 수심 뜬 보랏빛'(작품번호 42)으로 호명할 줄 알 때 비로소 그 '애

---

* 전남대 국문과 박사 과정
1) 김영랑, 『영랑시집(한국 대표시인 초간본 총서)』, 열린책들, 2004. 본고의 인용한 시들은 대체로 쇼와 10년 박용철에 의해 발간된 초간본의 형식을 살려 재출판한 위 책의 편집을 따랐다. 초간본에는 제목 대신 작품번호만 실려있기 때문에 작품번호만 있는 것은 이 책의 형태를 따른 것이고, 나머지는 김학동 편저, 『김영랑』(문학세계사, 2000)에서 인용했다.

끈하고 고요' 한 마음은 한 편의 시가 될 수밖에 없는 것이다. 자연을 노래
한 김영랑의 무수한 작품 중에서 굳이 이 '보랏빛'의 색조를 앞세우는 데
에는 그만한 이유가 있다. 세계와의 동일성을 통해 자아의 마음을 표현하
고자 하는 것이 대체로 서정시의 바탕임을 동의한다면, 우선 이 '보랏빛'
이 드러내는 슬픔의 색조를 천천히 관조해 볼 일이다. 거기 김영랑의 마음
의 우물이 있다.

> 내 가슴속에 가늘한 내음
> 애끈히 떠도는 내음
> 저녁해 고요히 지는제
> 머 니 山 허리에 슬리는 보랏빛
>
> 오! 그 수심 뜬 보랏빛
> 내가 일흔 마음의 그림자
> 한이틀 정녈에 뚝뚝 떠러진 모란의
> 깃든 향취가 이가슴노코 갓슬줄이야
>
> 얼결에 여흰봄 흐르는 마음
> 헛되이 차즈랴 허덕이는날
> 뻘우에 철석 개ㅅ물이 노이듯
> 얼컥 니-는 훗근한 내음
>
> 아! 훗근한 내음 내키다마는
> 서어한 가슴에 그늘이 도나니

수심 뜨고 애끈하고 고요하기

산허리에 슬니는 저녁 보랏빛[2]

　시인이 표현하고 싶었던 궁극은 마음속에서 '얼컥' 이는 어떤 '가늘한 내음' 이었다. '익숙치 않아 서름서름하다' 는 의미의 '서어한' 마음의 냄새가 색조로 표현된 것이 바로 '보랏빛' 이다. 말 그대로 그것은 익숙하지 못하다. (아니, 기실 〈영랑시집〉에서 그것은 더없는 익숙함이다.) '수심' 이 가득하고, '호끈' 하고 '애끈' 하다는 말이 던져주는 아련함과 애틋함처럼 끈적끈적 사라질 줄 모르는 것이며, 그 마음을 찾으려 끝내 '허덕이는 날' 을 보내게 되는 어떤 낯선 흔적이다. (아니, 그것은 낯설지 않고 시를 읽는 혀끝에서 사라지지 않는다.) 그 흔적이 산허리에서 슬리었다. 결국 시의 주어는 '내 마음' 이 아닌가. 그 마음의 내음을 찾지 못하고, '뚝뚝 떠러진 모란' 이 가슴에 남긴 '향취' 를 정의내리지 못하다가 기어이 그 '산허리' 를 보고 말았다. 이제야 말이지만, 앞서 언급한 그 '보랏빛' 도 내내 가슴에서 머물던 흔적이 어느 순간 '먼 산 허리' 에서 순간 포착된 색조가 아닌가. 오랜 시간동안 가슴에 품은 감정을 자연을 바라보는 어느 한 순간, 감정은 비로소 자연의 빛을 띠고 시가 되는 것 아닌가. 그러니 김영랑의 시 미학의 핵심은 예의 그 '순간성' 에 있고, 순간성의 핵심은 자연이 자신의 빛깔을 스스로 드러내는 그 최고조의 순간을 기다리고 기다리는 외로움에 있다. 김영랑에게 일차적 시적 대상은 자연이다. 그러나 자연보다 먼저 있는 것은 시인의 마음을 계속 괴롭히는 그 어떤 '마음' 의 감정이다. 이 '마음' 속 우물이 어느 '순간' 자연의 빛깔과 만나 시가 된다. 그 자연

2) 작품번호 「42」.

의 순간을 보기 위해 시인은 마음의 우물을 퍼 올리고 있는 것이다.

그 우물을 들여다보는 기다림의 흔적을 우리는 시로 표현할 수 없어서 다만 '슬픔'이라고 해둔다. 김영랑의 시에서 슬픔은 작품의 전편을 아우르는 우물이다.[3]

2. '기둘림' ; 청각 언어적 특성

김영랑 시의 '슬픔'을 말하기 전에 잠깐 시어의 특징을 짚고 넘어가야 겠다. 김영랑은 시어를 선택하고 조탁하는 과정이 상당히 세밀했던 것으로 보인다. 그는 시어를 매우 주의깊게 선택하고 오랫동안의 담금질을 통해 시어를 세련되게 만든 듯한데, 박용철은 이를 두고 "〈너 참 아름답다, 거기 멈춰라〉고 부르짖는 한 순간을 표현하기 위하여, 그 감동을 언어로 변형시키기 위하여 그는 헌신적 노력을 한다"고 말하기도 했다. 단어 하나가 지니는 세밀한 미감과 소리로 발성되었을 때의 반응에 주의를 기울이는 장인적 태도는 서구의 유미주의 예술가들에게서 공통적으로 드러나는 속성이다. 그러나 여기서 강조하고 싶은 것은 그의 시어 중 방언에 관한 것이다.

---

3) 그의 시에서 수일하게 표상되는 슬픔의 정서는 일면 상당히 낯익은 면이 있다. 김영랑의 시를 이야기할 때 빠지지 않는 요소가 예의 그 음악성인데, 유음을 효과적으로 살린 측면과 낭독의 과정이 마치 시조가 대표하는 전통적 가락에 기대고 있다는 점 때문인 듯 하다. 그리고 이때 더불어 언급되는 시인이 김소월이다. 김소월 또한 자연의 표상을 통해 자아의 마음을 노래하고 있고, 전통적 가락에 기대어 '사라져가는 세계' 또는 '잊혀진 세계'인 자연을 노래했기 때문이다.
그러나 두 사람 사이에는 상당한 간극이 존재하고 있다. 우선 그들이 일차적인 시적 대상으로 삼고 있는 자연은 사뭇 다르다. 김소월의 자연은 자아와의 거리감이 상당하고 객관적인 자연이라면, 김영랑의 자연은 자아의 내면까지 들어와 자신의 모습을 변장한다는 점에서 주관적이다. 이 점은 뒷장에서 상세히 다룰 참이다.

"시에서 필요로 하는 것은 지속적으로 형성되는 인식과 평가의 인습적 양식을 깨뜨려 사람들로 하여금 세계를 새롭게 하고 그 새로운 면들을 보게 하는 언어기능의 세계"이다.[4] 즉 시의 언어는 새롭게 하여 새로운 면을 보게 하는 언어적 기능을 수행한다. 그러므로 방언은 시 속에 사용됨으로서 새롭게 하는 기능과 낯설게 하는 이중적 기능을 동시에 지닌다. 뿐만 아니라 방언의 시적 변용으로 인해 생명화되고 육화되어진 전남 방언을 통해 토속적인 향토성을 강하게 부각시키는 성과를 거두고 있다. 이로 인해 현대시가 지니는 구조적 특질이 향토적 정서를 통하여 미적으로 구성될 때, 시의 내포와 운율성도 그 힘을 드러내게 된다.

소수언어는 그 나름대로의 고유성과 정치성을 드러내기 마련이다(들뢰즈/가타리, 『소수집단의 문학을 위하여』). 뒷부분에 언급하겠지만 김영랑은 사회적으로 소외된 공간에서 대부분의 생을 보냈다. 이는 근대적 질서로부터의 소외를 동시에 의미하는데, 그에 따른 열패감과 소외감이 작품에 상당 부분 반영되어 있다. 때문에 김영랑의 전남 방언의 사용을 한 시인의 생득적 언어사용의 결과물로 치부해서만은 안 된다. 물론 그렇다고 몇 개의 방언의 사용이 모두 정치성을 획득하는 것도 아니고, 김영랑의 시에 사용된 방언을 통해서 그의 정치적 소외를 설명하는 것은 아무래도 견강부회라는 비판을 피해가기 어렵다. 가령 아래 인용하는 시에 등장하는 시어들이 지닌 방언의 의미론적 변주를 이해하기만 한다면 그 의미를 크게 해석할 필요는 없다.

---

4) Eliot, T.S. The Use of Poetry & *The Use Criticism*. 1993. p.155.

꾀꼬리는 엽태 혼자 날아볼줄 모르나니

- 「五月」 중에서

가슴엔듯 눈엔듯 또 핏줄엔듯 / 마음이 도른도른 숨어 있는 곳

- 「끝없는 강물이 흐르네」 중에서

쓸쓸한 뫼 앞에 후젓히 앉으면 / 마음은 갈앉은 양금줄 같이

- 「쓸쓸한 뫼 앞에서」 중에서

내 소리는 꿰벗어 봄철이 실타리 / 호젓한 소리 가다가는 쓸쓸한 소리

- 「내 훗진 노래」 중에서

강조한 부분은 각각 '꿰벗다(옷벗다)', '실타리(싫다하리)', '가다가는(때로는)'의 의미 정도로 대부분 그저 향토적인 어감이나 운율의 맞춤을 위한 변주로 보면 그뿐이다. 지나친 억지 해석을 할 필요가 없다. 하지만 간과해서는 안되는 것이 시인 스스로 전남 방언에 대한 각별한 애정을 지닌 듯한 흔적이 있고,[5] 의미상의 변주가 아닌 청각적인 요소로 이 부분을 받아들인다면 자못 주목할만한 특징이 존재한다.

---

5) 전라도서도 이곳 말이란 것이 처음 듣는 이는 아직 말이 덜 되었다고 웃고, 자주 듣는 이는 간지러워 못 듣겠다고 얼굴에 손까지 가리운다. 시인 C는 감각적인 점에서만도 많이 잡아 써야겠다고 한다. 통틀어 여기 말이 토정(吐情)같으나 타도(他道) 말인들 의사 표시에 그치기야 하느냐마는 보다 더 토정일 것 같다. 우리가 등이 가려우면 긁고 꼬집으면 아야야를 발음하는 것과 그리 거리가 없는 말일 것 같다. - 「春心 - 南方春信·3」중에서

모란이 피기까지는 / 나는 기둘리고 있을 테요

- 「모란이 피기까지는」 중에서

내 마음 고요히 고흔봄 길우에 / 오날하로 하날을 우러르고 싶다.

- 「돌담에 소색이는 햇발」 중에서

걷던 걸음 멈추고 서서도 얼컥 생각하는 것 죽음이로다. / 그 죽음이
사 서른살 적에 벌써 다 잊어버리고 살아 왔는듸 / 웬노릇인지 요즘 작
고 그 죽음 바로 닥쳐온듯만 싶어져 / 항용 주춤서서 행길을 호기로히
달리는 行喪을 보랐고 있느니

- 「忘却」 중에서

「오 – 매 단풍 들것네」 / 장ㅅ광에 골붉은 감잎 날러오아 / 누이는
놀란 듯이 치어다보며 /「오 – 매 단풍 들것네」

- 「오 – 매 단풍 들것네」 중에서

'왔는듸' 의 '듸(데)' 나 '작고(자꾸)', 그리고 '보랐고(바라보고)' 와 같
은 방언의 사용은 위에서 인용한 시어들과는 다른 관점에서 볼 필요가 있
다. 다시 말해 시를 낭송했을 때의 청각적 요소를 고려해 볼 때 이는 시각
적 차원으로 바라보아서는 안 된다는 말이다. 아리스토텔레스 이후 서양
철학에서는 사물을 인식하는 감각으로서 시각을 다른 감각들보다 우월하
다고 생각해왔다. 한스 요나스의 경우도 시각이 청각이나 촉각보다 우월
한 감각이라고 하면서, 시각을 통해 인간은 모상화(模像化) 능력을 지니게
되었고 그것이야말로 고차원적인 정신의 작업을 가능케 하는 요소라고 말

했다. 하지만 '청각은 소리 자체의 본질에 따라 역동적이고 정체적이지 않은 현실성만을 가진다'는 그의 말은 오히려 청각이 지닌 역동성을 드러내는 말처럼 들린다. 청각이 지닌 이러한 우연성의 근거는 청각이 존재가 아니라 생성에 관계한다는 사실 때문이다. 그에 비해 시각은 대상들이 동시적으로 배열되어 이루어진 다양성을 제시해주고 그것을 종합해낼 수 있도록 해준다. 그리고 대상을 자유롭게 선택할 수 있다는 능동성도 청각보다 유리하다. 청각이 고정적인 현재가 없이 순간적인 연속계열을 이루는 반면, 시각은 시야의 동시적인 재현을 통해 사물들이 서로 공존하면서도 동시적인 현전을 드러낼 수 있다는 것이다. 이렇게 한 순간이나 지점에서 전 영역을 조감할 수 있는 능력은 원근법적 시각과 관련되는 것이다.[6] 중세 회화에서부터 적용된 원근법은 이러한 시각적 능력을 예술에 적용시킨 하나의 사건이었고, 인간 이성의 합리성을 일깨워 준 예술적 차원의 진화이기도 하다. 하지만 시각중심의 이러한 근대성은 청각을 비롯한 다른 감각을 타자의 차원으로 내몰아버림으로써 감각의 균질성을 불러오기도 했다. 한스 요나스가 말한 청각의 특성을 다른 방식으로 이해해 보면, 청각은 정체되어있지 않고 끊임없이 움직인다. 의미생성을 자극하고, 순간적으로 다른 차원의 계열체로 이동하는 능력을 부여하기도 한다.

김영랑의 시에서 이러한 특징은 눈으로 보여지거나 보는 차원을 넘어 '입말'로 낭독되었을 때 그 의미를 지닌다. 우선 박용철, 정지용과 더불어 발간한 순수 시동인지 『시문학』 창간호에 실린 「후기」에 선명하게 제시된 이들의 문학적 이념을 볼 필요가 있다.

---

6) 한스 요나스, 『생명의 원리』, 한정선 옮김, 아카넷, 2001, pp.290~336 참고.

우리의 시는 열 번 스무 번 되씹어 읽고 외워지기를 바랄 뿐 가슴에 느낌이 있을 때 절로 읊어 나오고 읊으면 느낌이 일어나야만 한다. 한 말로 우리의 시는 외워지기를 구한다. …(중략)… 한 민족이 언어가 발달의 어느 정도에 이르면 구어로서의 존재에 만족하지 아니하고 문학의 형태를 요구한다. 그리고 그 문학의 성립은 그 민족의 언어를 완성시키는 길이다.

- 『시문학』 1호, p.39

시가 잘 외워지기 위해서는 입말로 낭독되었을 때 그 맛이 살아있어야 한다. 전통적 시조풍의 느낌보다는 대중적 표현에 가까우면서도, 저잣거리의 그것처럼 너무 걸지거나 힘이 세지 않고 부드러워야 한다. 때문에 그의 시에 한자어보다는 우리말이 잘 살아있고, 부드러운 유음이나 예사소리는 문장의 중간에 오고 발음이 끊기거나 세게 나오는 거센소리는 문장의 끝에 오거나 강조하고 싶은 구절에 와서 호흡을 자연스럽게 맺게 해준다. 김영랑의 시가 눈으로 읽혀질 때보다 소리로 발음될 때 더 아름다워지는 이유다.

예를 들어 「모란이 피기까지는」에서 '기둘리고'의 경우, '기다리고'와 '기둘리고'는 입말로 표현되었을 때 그 차이가 분명하다. 사투리로서의 '기둘림'은 외로움과 쓸쓸함의 느낌을 주는 '기다림'과 달리 어떤 의지와 오기와 단단한 마음의 상태를 나타낸다. '기다림'은 의미가 분명하기 때문에 시적화자의 현재적 감정상태와 어조를 분명하게 하지만 '기둘림'은 시의 차원을 넘어 텍스트의 외부로 향해가면서 새로운 의미를 생성한다.[7]

---

7) 이 부분은 뒷장 「모란이 피기까지는」의 세부 해설을 참조하기를 바란다.

즉 시인에게 기다림은 '기둘릴' 때 비로소 완성되는 것이다. 「사개틀닌 古風의 툇마루에」라는 작품에서도 김영랑은 '기둘린다'는 표현을 사용한다. '사개틀닌 古風의퇴마루에 업는듯이안져 / 아즉 떠오를긔척도 업는달을 기둘린다 / 아모런 생각업시 / 아모런 뜻업시'. 여기에서도 시적 자아의 기다림은 무작정 기다리겠다는 어떤 의지의 표현으로서의 '기둘림'으로 나아간다. 시어는 거기에 머물러 의미를 마무리하지 않고 타자의 영역으로 향해간다. 그리고 그의 '슬픔' 또한 여기에 힘입어 '슬픔'에 머물지 않고 대타적인 영역으로 그 의미를 확장해 나간다. 그러기 위해 시인은 모란이 피기를 기다린다. 아니 '기둘린다'. 이제 그 슬픔을 이야기할 때다.

3. 슬픔이 먼저 있었네 ; '찰란한 슬픔' 그리고 '찰란한 봄'

모란이 피기까지는
나는 아즉 나의봄을 기둘리고 잇슬테요
모란이 뚝뚝 떠러져버린날
나는 비로소 봄을여흰 서름에 잠길테요
오월 어느날 그하로 무덥든날
떠러져누은 꼿닙마져 시드러버리고는
천지에 모란은 자최도 업서지고
뻐처오르든 내보람 서운케 문허졌느니
모란이 지고말면 그뿐 내 한해는 다 가고말아
삼백예순날 하냥 섭섭해 우옵내다
모란이 피기까지는

나는 아즉 기둘리고잇슬테요 찰란한슬픔의 봄을[8] (밑줄 강조. 필자)

    이 작품에서도 슬픔의 정서는 반복된다. 기다리던 모란이 피었으나, 어느 무덥던 날 모란은 떨어져 자취도 없어진다. 이제 다시 모란이 피기까지는 일년의 세월을 기다려야 한다. 그 기다림의 세월을 시인은 슬픔으로 바꾸어 놓았다. 그런데 그 슬픔이 찰란하다니? 여기에 상상력이 시가 되는 종자가 담겨있다. 마지막행 '찰란한슬픔의 봄'이라는 구절이 없었다면, 이 시는 그저 자연에 대한 감상에 머물렀을 것이다. 모란은 이미 지고 없기 때문에 현재는 슬프지만, 다시 모란은 피고 말 것이기에 기다리는 봄은 찰란할 것이라는 역설적 의미가 여기 담겨 있다. 이 역설이 이 시를 김영랑의 대표작으로 가능하게 했다. 그런데 그런가, 과연 그런가? 이미 시인의 마음의 우물에는 슬픔이 자리잡고 있다는 사실을 말했다. 자연이 시인에게 다가오기 이미 전에, 모란이 피기 이미 전에 시인에게는 슬픔이라는 마르지 않은 우물이 존재하고 있다. 이제 시의 세밀한 표현들에 주목해보자.
    시인이 기다리는 봄은 모란이 피는 일반적인 차원의 봄이 아니라, '나의 봄'이라는 표현에서 알 수 있듯이 시인에게만 의미 있는 봄이어야 한다. 때문에 그것은 일반명사로서의 봄이라고 볼 수 없다. 그것이 호명하는 것은 '나만의' 그 어떤 것이다. 다시 시의 흐름을 따라가서 9행과 10행을 주목해보면, 모란이 지고 나서 일 년의 나머지 날을 섭섭한 눈물로 보낸다는 내용이다. 그런데 정작 자아가 슬퍼하는 것이 모란이 떨어졌다는 사실인지 '내' 한해가 갔기 때문인지 살펴야 한다. 모란이 졌다는 사실은 그저 자연의 흐름일 뿐('그뿐'이라는 한정적 의미의 조사로 표현되어 있다),

---

8) 작품번호 「45」.

'나'의 눈물의 원인은 기다림으로 바꾸어 버린 '내 한해'가 갔기 때문이다. 역시 여기에서도 눈물이 호명하는 것은 '나만의' 그 어떤 것임을 확인할 수 있다. 즉 시인이 기다리는 것은 모란이 아닐 수도 있다는 말이다. '봄'이 그랬듯이 '모란'도 그저 시적 대상일 뿐, 김영랑의 시들이 수일하게 표현의 대상으로 삼고 있는 것은 자신의 '마음'이다. 그렇다면 그 '나의 마음'은 어떤 것인가. 이제 수미상관의 형식으로 구성된 시의 처음과 마지막 두 행씩을 비교해보자. '모란이 피기까지는 / 나는 아즉 나의봄을 기둘리고 잇슬테요'와 '모란이 피기까지는 / 나는 아즉 기둘리고 잇슬테요 찰란한슬픔의 봄을'을 비교해보면 목적어로 쓰인 '나의봄'이 마지막행에서는 도치되어 뒤로 이동을 했고, '나의'의 자리에 '찰란한슬픔의'가 대신 삽입되어 있다. 즉 '나'는 곧 '찰란한 슬픔'이다. 이를 다시 시의 첫구절에 대입시켜 보면 시인은 처음부터 '찰란한 슬픔의 봄을 기둘리고 잇엇'던 것을 알 수 있다. 김영랑의 시에서 자아는 대부분 슬픔으로 분장한 가면일 뿐이다.

이제 이를 통해 두 가지 해석이 가능하다. 그 처음은 문장의 서술어를 구성하고 있는 어말 어미 '~테요'의 해석이다. 이 어미는 총 세 번 나오는데, 이제 그 의미를 각각 다르게 해석해야 한다. 먼저 2행의 '~테요'는 '봄을 기다려야 한다'는 의미로서 '~해야한다'로 읽힌다. 그런데 뒤이어 모란이 떨어지고 나서 잠기는 슬픔을 표현한 4행의 '~테요' 앞에는 왠일인지 '비로소'라는 부사가 붙어 있다. 마치 기다렸다는 듯이, 이미 예견했다는 듯한 의미의 '비로소'는 '이제 비로소 봄을 여읜 슬픔에 잠길 수 있다'는 기대 내지는 어떤 마땅함으로 읽히게 한다. 그래서 12행에서 다시 등장하는 '~테요'는 급기야 '계속 기다림 속에 있고야 말 것이다', 또는 '이제 슬픔에 잠길 것이고 그것이 결코 두렵지 않다'라는 강력한 의지로 읽히는 것이다.

두 번째로 언급할 것은 마지막 부분의 역설에 관해서다. 이미 확인했듯이 시인이 기다리는 것은 봄이 아니라 찬란한 슬픔 그 자체다. 기다림으로 바꾸어버린 그 슬픔 자체 말이다. 때문에 마지막 해의 '찰란한'이 수식하는 것은 '봄'이 아니라 '슬픔'이다. 이 시가 역설일 수 있다면 그것은 지금은 어둠속에서 슬프지만 내년에 다시 봄이 오기 때문에 찬란하다는 의미의 역설이 아니라, 시인이 기다리는 그 자체가 바로 '찰란한 슬픔'이라는 역설이기 때문이다. "찬란한 봄"이 아니라, 말그대로 "찬란한 슬픔"이어야 한다. 이것은 사회적으로 고립된 자아가 어쩔 수 없이 느끼는 수동적인 슬픔이 아니라 그 슬픔을 찬란함으로 바꾸어버린 능동적이고 적극적인 슬픔이며 때로 시인은 여기에 유혹당한다. 이 슬픔을 즐길 때 그는 비로소 슬픔에 매혹당한 댄디스트가 된다.

4. 의도되지 않은 근대성 ; 자연과 시간성

시인의 도저한 슬픔이 어디에서 연유하는 것인지는 모른다. 다만 서울이라는 근대적 공간으로부터의 소외의식에서 오는 것인지, 작가로서 당대에 인정을 받지 못한 마이너로서의 열등감인지, 또는 유학을 통해 경험한 근대문명을 자신의 적극적인 삶의 형태로 수용하지 못하고 강진이라는 외진 공간에서 다만 그것을 그리워할 수밖에 없었던 스스로의 한탄 때문인지 확실하게 규정할 수야 없는 노릇이다. 다만 그의 시편들에서 시인이 자신을 어떻게 표현하고 있는지는 충분히 확인 할 수 있는바, 아래 인용한 시들의 편린을 모아보면 어느 정도 김영랑의 자의식을 엿볼 수는 있을 것이다.

밤이면 고총 아래 고개 숙이고 / 낮이면 하늘 보고 웃음 좀 웃고 / 너른 들 쓸쓸하여 외론 할미꽃 / 아무도 몰래 지는 새벽 지친 별 ― 「29」

좁은 길가에 무덤이 하나 / 이슬에 젖으며 밤을 새운다 / 나는 사라져 저 별이 되오리 / 뫼 아래 누워서 희미한 별을 ― 「13」

빈 포켓에 손 찌르고 폴 베를렌느 찾는 날 / 온몸이 흐렁흐렁 눈물도 찔끔 나누나 / 오! 비가 이리 쭐쭐쭐 내리는 날은 / 설운 소리 한 천 마디 썼으면 싶어라 ― 「30」

빠른 철로에 조는 손님아 / 이 시골 이 정거장 행여 잊을라 / 한가하고 그립고 쓸쓸한 시골 사람의 / 드나드는 이 정거장 행여 잊을라

― 「35」

그 밤을 홀로 앉으면 / 무심코 야윈 볼도 만져 보느니 / 시들고 못 핀 꽃 어서 떨어지거라 ― 「47」

강선대 돌바늘 끝에 / 하잔한 인간 하나 ― 「48」

울어 피를 뱉고 뱉은 피는 도로 삼켜 / 평생을 원한과 슬픔에 지친 작은 새 ― 「52」

인용된 작품들 속의 시적 자아는 한결같이 스스로를 지치고 외롭고 하찮은 존재로 인식하고 있다. 거기에 죽음의 이미지들도 상당 부분 동반되

고 있다. 앞서 「모란이 피기까지는」에서의 '봄' 또한 모란이 피어나는 환희의 순간인 동시에 모란이 자취도 없이 사라져 슬픔이 동반된 죽음과 소멸의 시간이기도 하다. 그래서 자신을 '하잔한 인간'으로 묘사하기도 하고 때로는 '사라져 별'이 되고 싶어하기도 한다. 또 그러면서도 사람들에게 자신이 잊혀지는 것을 두려워하는 양가적인 감정을 보인다.[9] 시인이 서울과 일본에서 유학하던 5~6년과 말년에 서울에서의 잠깐 동안의 시간을 제외하고는 대부분 고향 강진에서 보냈다는 사실은 익히 알려져 있는 사실이다. 작품 곳곳에서 시인은 자신이 머무는 공간을 소외된 공간으로 표현하고 있는데, '여기는 먼 남쪽 땅 너 쫓겨 숨음직한 외딴 곳'(「52」)이나 '고금도 마주 보이는 남쪽 바닷가 한 많은 귀향길'(「52」)은 그 대표적인 예이다. 그래서인지 '한가하고 그립고 쓸쓸한 시골 사람의 / 드나드는 이 정거장 행여 잊을'까 걱정하면서 '설운 소리 한 천 마디 썼으면 싶어' 하는 것이다.

이처럼 슬픔에의 심미적인 도취와 절대적인 현실적 좌절이 교차하는 '순간'이 김영랑에게서 시가 탄생하는 시간이다. 이 시간에는 아름다움과 좌절이 순환교차되는 공간성과 사라져가는 자연물 속에서 순간적인 아름다움을 발견하는 시간성이 공존한다. 김영랑은 이 속에서 꽃핌이자 소멸인 심미적인 열락의 세계를 탐닉하면서 침잠해 있다.

---

9) 김영랑의 이런 면모는 그의 몇 안되는 산문들에도 심심찮게 등장한다. 예를 들어 다음과 같은 부분은 그 심정을 상당히 직설적으로 드러내고 있다. "강진(康津)·해남(海南)을 아실 이가 드물지요. 경원(鏡源)·종성(鐘城)을 잘 모르듯이. 그러나 거기서 여기가 꼭 삼천리, 젊옵고 좁아서 우리의 한이 생겼는 것을 더러 서울 친구들은 지도를 펴놓고 멀다멀다 오기를 무서워하나이다. 고향 살이 십여 년, 옛날의 사향가(思鄕歌)·회향병(懷鄕病)을 찾을 수 없소. 오히려 멀리 타향가 계시는 죽마고우가 그리워지고 그리하여 등산대원이 차차 줄어드는 세상이 되고 보니 고향이랬자 쓸쓸할 뿐이외다. 올해도 강강수월래 씨름판을 못 설 겝니다. 이 가을도 슬쓸하지요." (김영랑, 「감나무에 단풍 드는 全南의 9월」)

그렇다면 그가 왜 이 '순간적인 시간'에 집착하고 그것을 향유하는 것인지 알아봐야 한다. 김영랑에게 '순간'이라는 시간은 자기의 자기다움을 유지하고 보존하는 유일한 시간이다. 그는 오직, 참을 수 없는 현실과 불완전한 자기 존재에서 벗어나 대상과 합일을 이루는 미적인 순간 속에서만 자기다울 수 있다. 이때 김영랑의 '자기'는 '나' 아닌 것을 뿌리치고 배제하며 단일함을 유지하고자 하는 고립적인 자아이며, 그에게 자신 밖의 모든 것은 대립적인 타자로서 존재한다. 오직 '아름다움' 속에서만 '자기'를 발견하는 그의 '자기다움'이란 이렇듯 극히 심미적이고 귀족주의적인 면모를 지닌다. 그는 순간적인 아름다움 속에서 자기를 확인하지만, 그의 이런 미학과 유사했던 조선의 선비적인 정신은 근대화 되어가는 1930년대 사회에서 소외와 몰락의 길을 걸을 수밖에 없던 시간이었다. 귀족주의적인 면모 또한 정치적 권력의 중심에 서 있는 자의 멋과 풍류라기보다는 제도로부터의 소외와 좌절을 겪으며 몰락해가는 귀족의 미학이었다.[10] 그런데 아이러니컬하게도 그의 이런 미적인 천착이 이 시대에 와서 근대적으로 새롭게 해석될 여지를 남겨두고 있다.

이 근대성을 말하기 위해서 먼저 김영랑 시의 자연에 대해 말해야 겠다. 1930년대는 어떤 시기보다 '자연'의 문제를 시의 중심에 놓았던 시기였다. 특히 시문학파와 청록파 등 이른바 '순수시'를 지향한 시인들에 의해 '자연의 발견'이 집중적으로 이루어졌다. 그들에게 있어서 '자연'은 '순수'의 본령이자 서정적 동일화를 위한 매개로 사용되었지만, 이때의

---

10) 김신정, 「시어의 혁신'과 '현대시'의 의미 - 김영랑, 정지용, 백석을 중심으로」(『상허학보 제4집』, 1998), pp.64~66 참조.

자연은 '역사'나 '현실' 원칙의 대타적 세계로 사용될 뿐이었다. 때문에 자연의 순수한 의미를 획득하지는 못했다고 볼 수 있다. 더욱이 '순수시'라는 명칭 역시 시의적이고 정치적 맥락 속에서 나온 것임을 감안한다면, '자연'에 대한 태도는 상당히 복잡한 맥락을 포함하고 있고 또 매우 신중해야 한다.

'자연'이라는 말의 층위는 매우 다양해서 구체적인 자연물이나 자연환경 등을 가리키는 말로 쓰이기도 하고, 본성 또는 근원적인 질서나 존재방식을 의미하기도 한다. 문명과 대비되는 의미로서의 서양의 자연관이 전자라면, 스스로 그러하다는 의미에서의 원리나 운동으로 바라본 동양의 자연관이 후자라고 할 수 있다. 그러나 어찌되었든 근대 이후 동양이든 서양이든 자연을 유기체적 세계관으로 바라보지 못하고 기계론적 세계관으로 해석한 것은 주지의 사실이다. 이것에 대한 자기성찰로서 자연이 다시 등장한다. 하지만 근대 문명이 자연을 파괴함으로써 인간의 타락성을 드러내고, 이를 반성하고 비판하기 위한 대상으로서 자연을 이용하는 것은 자칫 과거의 그 어떤 완전한 유토피아적 세계를 전제하고 있는 듯한 환원주의적 한계를 벗어나지 못하는 시각이면서 동시에 존재하지 않는 자연을 이용해 자신의 주장을 관철시키고자하는 비합리적 태도일 수 있다. 이는 근대의 동일성의 철학이 저지르고 있는 실수를 똑같이 반복하는 것에 불과하다. 니체가 신이 사라진 자리를 과학중심주의가 대신할 것을 염려했던 것과 같은, 아도르노가 이성의 탈을 쓴 야만이 세계를 지배할 것을 두려워했던 것과 같은 실수가 이런 시각에 담겨져 있다.

근대 이후 자연관의 변화는 한국시에 있어서 자연에 대한 양면적인 태도를 보인다. 자연을 객관적인 세계로 바라보면서 자연의 타자성과 즉물성을 강조하는 철저히 근대적인 태도와, 자연과의 단절을 극복하기 위한 반근대적인 태도로 시적 자아와 세계와의 서정적 동일성을 추구하는 경향이 공존하게 된다. 이와 같은 양면적인 태도가 자연을 대상으로 한 서정시의 의미를 형성해왔다. 따라서 자연을 대상으로 하는 서정시를 곧바로 전통으로의 귀환이나 반근대적 태도와 동일시하는 시각은 '자연'의 의미를 지나치게 좁게 설정하거나 단선적으로 이해한 결과일 수 있다. 전통이라는 개념 역시 그 실체가 불분명하고, 다분히 근대적 인식의 산물로서 만들어진 전통의 측면이 강하기 때문이다. 따라서 "한국시에서의 자연 서정, 전통의 발견은 한국의 역사적 근대체험의 산물이며 그 결과물로서 창안되거나 발견된 것"[11])이라는 점에 동의하지 않을 수 없고, 이제 자연은 곧 서정시의 하나의 전통이며 이는 곧 반근대적 면모를 보인다는 도식에서 벗어나 근대성의 맥락에서 새롭게 평가되어야 한다.[12]) 그런 면에서 김영랑의 시에서의 자연 또한 이제 말하게 될 시간성과 자아(주체)의 문제처럼, 시인에 의해 의도된 산물이 아니라 그 자체로서의 개별성을 지닌 특질로 인식되어야 함을 미리 말해둔다.

이제 다시 시간의 문제로 돌아와 보자. 김영랑이 작품 속에서 다루고 있는 시간은 철저하게 자연의 순환적인 시간이다. 그 자연은 시적 자아의 '내 마음'으로 재해석되기 전까지는 아무런 시적 의미를 띠지 못한다. 때문에 여기서 말하는 자연의 순환적인 시간은 김영랑에게서는 아무런 의미가 없다. 이는 곧 다시 자연을 이용하고 파괴하고 도구적 수단으로만 생각

11) 김춘식, 「낭만주의적 개인과 자연.전통의 발견」, 『한국문학의 전통과 반전통』, 국학자료원, 2003, p.14.
12) 나희덕, 「1930년대 시의 '자연'과 '감각' – 김영랑과 정지용을 중심으로」, 『현대문학의 연구. 25권』, 2005, pp.8~9 참조.

하는 근대에 대한 대타적 의미로서의 순수 자연이 김영랑에게서 존재하지 않는다는 말이다. 그에게 자연은 어디까지나 자아의 내면을 통과해야 가능하다. 그러므로 그에게 존재하는 시간은 자연물의 대상이 자아에게 도달하는 시간과 그에 따른 자아의 반응이 생성되는 그 찰나의 순간성일 뿐이다. 여기에 근대적인 폭력의 시간과 기계적으로 구획 지어진 숫자로서의 시간성은 끼여들 여지가 없다.

잠시 서정주의 「국화옆에서」를 인용해 보면, '한 송이 국화꽃을 피우기 위해' 서 '소쩍새' 가 울고, '천둥' 이 '먹구름' 속에서 울고 '내게는 잠도 오지 않' 은 시간이 존재했던 것처럼, 자연은 어디까지나 '내 마음' 에 다가오기 위해서만 존재할 때 그 흐름이 가능하다. 그리고 그때서야 꽃이 피듯 시적 의미를 지니게 된다.

이렇듯 자연이 순간적인 찰나로 다가오는 시간이 김영랑의 시에 존재하는 시간성이며 이 과정을 통해서 그는 '슬픔' 을 극복한다. 그 이외의 시간은 대부분 근대적 공간으로부터 소외된 자아의 슬픔과 좌절의 시간이다. 철저하게 고립적인 자아로서 당대의 역사적사건들과 현실논리에서 소외된 공간에서 그의 미의식은 가능했다. 즉 근대공간으로부터의 소외를 자연의 찰나적인 재해석으로 극복한 것이 김영랑의 근대적인 자질이다. 자아와 자연의 순수한 관계 속에서 탄생한 시의 순간적인 시간성은 근대문명의 시간성을 거역한다는 점에서 의도적이지 않게 반근대적이며, 절대적 고독의 공간에 놓여있는 자아는 사회와 타자로부터 독립적일 수밖에 없었기 때문에 다분히 탈근대적이게 된다.

김영랑의 시적 자아들은 계몽적이며 사회적인 주체성을 강조하는 자아도 아니기에 김기림의 그것들과 구별되며, 그런 사회현실에 참여하지 못하는 무력함과 패배감과도 다르기 때문에 윤동주나 이상의 자아들과도 다르다. 또한 더욱이 전통적인 의미공간에서 민족적인 정서에 의지한 회귀성에 기대지 않는다는 점에서 김소월, 정지용, 백석과도 완연히 다른 자리에 놓여있다. 그 누가 더 뛰어나다고 말하려는 것이 아니다. 다만 김영랑의 시적 자아를 자유와 평등의 원칙에 입각한 근대적인 개인으로 해석하거나 그것과 대타적인 의미로서 반근대적 자아로 해석해서는 안 된다는 점을 분명히 하고 싶을 뿐이다. 천개의 고원에 천개의 봉우리가 존재하듯 김영랑은 다만 그저 순수한 의미에서 외부세계와 독립된 개인일 뿐이다. 그리고 그 안에서 타자의 언어로 표현될 수 없는 자신만의 슬픔 속으로 침잠했을 뿐이다. 그는 근대와 비근대가 무질서하게 뒤섞였던 1930년대에 우연히 탄생한 또 한 명의 근대인일 뿐이라는 말이다.

5. 우연한 댄디스트

그러니 이제 이 한 편의 시가 더 깊게 읽힌다.

내 마음이 어딘 듯 한편에 끝없는
강물이 흐르네
돋쳐 오르는 아침 날빛이 빤질한
은결을 도도네
가슴엔 듯 눈엔 듯 또 핏줄엔 듯
마음이 도른도른 숨어 있는 곳
내 마음의 어딘 듯 한편에 끝없는
강물이 흐르네[13]

문장의 주어는 또 다시 '내 마음' 이다. 그의 시는 '내 마음' 에 대한 앤솔러지다. 그 마음은 머물지 않고 흐르는 강물과도 같다. 그 강물이 '마음' 속 어딘가에 있으니 그의 시는 또한 '내 마음' 에 대한 지도다. 그리고 강물은 끝이 없이 '도른 도른 숨어 있' 다가 흐른다. 그러니 그의 시는 '슬픔' 의 우물이다.

대부분의 시가 그렇듯 김영랑이 섬세한 언어의 조탁을 통해 구현한 것은 '아름다움' 의 '순간' 이다. 물론 그 '아름다움' 은 '슬픔' 으로 극화된다. 그 '순간' 속에서 김영랑은 '자기' 를 보존한다. 사물을 적확하게 포착하고 거기 '내 마음' 의 색채를 담아내기 위해 대상에 의식적으로 개입한다. 자연이 자연을 넘어 자연 그 이상의 의미를 지니게 하는 시적 자아의 획득과 시적 어휘의 확장은 근대적 예술가로서의 태도를 획득했다. 그것은 물론 현실적 공간으로부터의 소외라는 외부적 요인이 가져온 우연의 결과이다. 하지만 분명한 한 가지 사실은 '현대성' 을 개척한 시인들은 항상 자기 존재의 뿌리로부터 시를 발전시켜 나갔다는 점이다. 이때의 '자기' 는 서구로부터 직수입한 '자기' 도 아니며, 자기정체성을 뚜렷하게 유지하고 있는 동일성의 '자기' 도 아니다. 자아분열과 자기로부터의 소외를 마주하고 있는 상황에서 고집스럽고 폐쇄적인 태도로 자기의 단일함을 유지하고자 하는 자아, 그것이 우리가 김영랑에게서 찾아볼 수 있는 '나' 의 형상이다. 그는 슬픔을 적극적으로 받아들임으로써 그 슬픔을 심미적 차원으로 한 단계 고양시킨 시인이며, 1930년대 우연히 탄생한 댄디스트다.

---

13) 작품번호 「1」.

여상현 시의 '여럿주체'와 근대적 시선

전동진*

1. '시를 추켜든'

여상현은 1936년 서정주, 오장환, 김동리, 김광균 등과 함께 시인부락 창간 동인으로 참여 하면서 작품활동을 시작한다. 시인부락 1집에 「장」, 「호텔 앞 광장」을, 2집에 「법원과 까마귀」, 「호흡」등을 발표했다. 동인들 대부분이 참여 당시부터 문단에서 명성을 쌓았던 반면 여상현은 해방 이후의 작품들로 시인으로서의 이름을 알리기 시작했다. 1947년 정음사에서 펴낸 시집 『칠면조』의 구성과 관련된 그의 언급에서도 이와 같은 내용을 어렵지 않게 엿볼 수 있다.

이토록 어수선한 속에서 할 일이 많기도 한데 시를 추켜든 나의 청춘이 너무도 보람없다함을 이제 이 「칠면조」 한 권을 꾸미면서 새삼스럽게 유독 절실히 느껴진다. 거센 역사의 조류 속에 티끌처럼 떠나려가

---

* 원광대 문창과 강의 교수

는 것을 붙들어 기록해 본 것이 제일부 「福爐房」에 모아논 것이다. 소위 해방 후, 해방을 찾으며 쓴 것이라고할가. 그 다음 제이부 「歸不歸」에 수록한 것은 오, 육년 이전에 일제의 쇠사슬에 억매어 있으면서 극히 유약한 붓대로 당시의 생활과 심경을 그려본데 불과한 것이다. 원불간에 오고야말이라는 굳은 희구에 살았다는 한낱 추억이 된다면 행이겠다. 제삼부는 거개가 제이부와 동기에 쓴 모일모시의 서정기요. 제사부는 약 십이년전 연전 재학시에 쓴 것이다.

- 「칠면조」 序에서

한 시인의 시력(詩歷)은 독립성을 지닌 개체로서의 삶과 자율성을 지닌 주체로서의 삶이 상호주관성을 통해 융합할 때 단절없는 하나의 흐름을 이룰 수 있다. 여상현은 '태어난 것이 불행하지 않고 오히려 이모저모로 경험을 쌓을 수 있었다는 점에서 퍽 잘 태어났다고 생각되는 적이 한두 번이 아니다'고 『칠면조』의 서문에 밝히고 있다. 그러나 그 경험은 일방적으로 외부에서 강요된 것이었기 때문에 온전히 내면화 될 수 없었다. 시를 가로막는 외부적인 요인은 여상현이 밝힌 바처럼 '참으로 기적적으로나마 우리말을 애써 배울 게재가 가끔 있었'던 일제강점기라는 시대 상황이다. 그보다 더 큰 요인은 내재적인 것이다. 서정 주체는 주관성과 의식성, 그리고 대상성의 상호 주관적 소통관계를 통해 형성되어야 한다. 대상성을 통해 의미의 장으로 들어오는 '객관주체'의 힘이 너무 강렬할 때, 시는 두 가지의 모습을 띨 수밖에 없다. 하나는 대상성을 거부한 주관 주체는 의식성과도 단절을 꾀한 채, 오직 '자기'만을 근거로 삼는다. 이때 서정의 목소리는 강한 파토스를 띨 수밖에 없다. 또 다른 하나는 아예 대상성만을 반영하게 되는데 이때는 시가 아니라 산문에 가까운 글이 된다. 여상현 시인이 위의 글에서 밝힌 연전재학시에 쓴 제4부의 글들이 강한 파토스를 지니면서도 산문화하고 있는 것은 이와 같은 이유에서다.

　인류학 용어에 '흐트러진 층'이라는 말이 있다. 두 개 이상의 층위(層位)가 뒤섞여 서로 다른 시대의 유물이 함께 나오는 층을 일컫는 말이다. 시인은 삶을 통해 끊임없이 유물을 남기고, 다시금 그 유물을 각고의 노력 끝에 시적 언어를 통해 발굴하는 사람이다. 개인으로서의 삶과 급변하는 시대 속에서의 삶 그리고 전통과 모던 사이에서 닻도 없이 동요하는 사회적 주체로서의 삶, 일제 강점과 미군정기 속에서 민족의 정체성에 대해 고뇌하는 민족적 주체로서의 삶이 마구잡이로 흐트러진다. 이와 같은 경험은 비단 여상현 시인에 국한되지는 않을 것이다.

　시집 『칠면조』의 마지막 작품은 「좀먹은 단층」이라는 초기의 작품이다. 여러 겹으로 겹친 '여럿주체'는 서로에게 버팀이 되지 못하고 자꾸만 '삐져' 나가려고 한다. 이런 주체의 모습을 함축적으로 투영하고 있는 말이 '좀먹은 단층'이다. 본고는 『칠면조』 제4부에 실린 「좀먹은 단층」을 분석하는 것으로부터 출발한다. 본고는 일차적으로 여상현 시인의 시적 주체(개인, 사적 주체, 사회적 주체, 역사적 주체, 민족적 주체를 포괄하는 개념으로 사용함)의 변모 양상을 더듬어 볼 것이다. 이 일차적인 탐색은 외적으로는 1930년대 후반과 40년대 초반 그리고 해방정국의 문학적 성과를 가늠하는 데까지 확장이 가능할 것이다. 내적으로는 여상현 시의 서정성의 발현 경로를 탐침하는 데까지 심화될 수 있을 것으로 기대한다.

2. 파토스와 '흐트러진 층'

개인과 주체를 구별하기 위해서는 '독립성'과 '자율성'의 개념을 살피는 것이 요긴한다. 개인은 독립성을 바탕으로 하고 주체는 자율성을 기반으로 하기 때문이다. '독립성'과 '자율성'을 알랭 르노는 다음과 같이 구별하고 있다.

> 개인성의 원리가 주체성의 원리보다 우위에 있고, 독립성이라는 '개인주의 가치'가 자율성이라는 '휴머니즘의 가치'보다 우세한 제2의 근대성의 탄생을 표명한 라이프니츠와 헤겔을 지나면서 개별화 과정은 급진전을 이루었다.[1]

르노에 의하면 제1의 근대성은 초월적, 신적 존재에 의해 운명 지워졌던 인간 존재에 자율성의 원리를 통해 자유를 부여했던 '휴머니즘의 가치'이다. 여기에서 표명하고 있는 제1의 근대성으로서 '휴머니즘의 가치'와 제2의 근대성으로서 '개인주의의 가치'가 우리의 1930대와 40년대에 적확하게 적용될 리는 만무하다. 그렇지만 오늘의 우리 사회가 서구를 표방하고 있다는 것 역시 부정할 수 없는 사실이다. 우리의 근대 형성기에도 전통 극복에 대한 요구에는 자율성의 원리가, 민족이나 사회적 의무로부터 자유로워지려는 개체로서의 욕구에는 독립성의 원리가 작동하고 있었음을 미루어 짐작해 볼 수 있을 것이다. 물론 후자의 '개인주의적 가치'가 본격적으로 담론의 표면에 떠오른 것이 자본주의적 작동 원리가 사회 전

---

1) 알랭 르노, 『개인-주체철학의 관한 고찰』(동문선, 2002), p.67.

반을 지배하게 된 이후의 일이라는 것은 재론의 여지가 없다. 그러나 문학이 사회 변화의 촉수를 담당할 수 있다면 우리의 근대 형성기에서도 '개인주의의 가치'의 맹아를 문학 담론을 통해서 충분히 포착할 수 있어야 할 것이다.

주체의 혼재를 '흐트러진 층'이라는 용어를 통해 살펴보기 위해 먼저 「좀먹은 단층」의 5연, 6연, 7연을 살펴본다.

나는 정작 幸福스러웠든가

진달래꽃 뿌리를 스처 갈대밭속을 더듬어 흐르는 개울물에 멱을 감던 어느봄날

약물터 외진곳에 모여앉아 속삭이던 어른들틈에 주먹을쥐고 떠들던 것이 나의 아버지였다

그날밤 엄마와 나는 아버지뒤를 따라 할아버지의 墓도 마당가에 나의 소꼽도 잊고 그곳을 떠나버렸다.

아아 그날밤은 참으로 바쁘기도했다

그뒤 나는 S市 東문밖 煙突선 洞里에서 「고꾸라」洋服을 입고 질거워 뛰는 都市의 少年이 되었다

아버지의 뼈골과 어머니의 치마끈으로 가방을멘 中學生의 으젓한 활개도 저었고

때로는 소꼽질하다가 남포소리에 깜짝 놀래던 어린追憶에 낯을 붉히고

그러면서도 나날이 썩어가는 사다리를 타고 軟弱한 숨길을 붙들고

層階로 層階로 푸른 하늘만 쳐다보고 오르던 斷層은 이미 좀먹어 헐릴날이 가까워왔다

千길 虛空에 떠도는 나의 꿈은

진실로 구봉산 호랭이도 잊고 약물도 잊고 하늘을 끌리는 煙突도 잊

고 말었든가

그리고 푸른 하늘을 검어쥐고 별과 달과 이슬을 먹음고 노래를 시험

했든가

헛된 아아 헛된 꿈속 苦悶의 이불을 걷어차고 나는,

가장 굳센 우리世代의 첫아들로 태어났거니 자랐거니 마땅히 내삐

내피를 바처야한다

비록 半島의 한구석에서 얼마 남은 젊음을 안고 뛰어드는 나의 時代

工의 職分이야

太陽을 같이한 西인들 北인들 어느따우에 功되지 않으랴!

젊은 동무야 얼빠진 샌님들아

바다에서 컸거니 집검불속에서 기어나왔거니 山에서 자랐거니 오로

지 손잡을

보다더 위대한 行列 – 생동의 봄이 왔다

드디어 좀먹은 斷層은 헛된 꿈속에 쌓여지고 헛된 꿈속에 헐려지노니

지나간 꿈이여 오오 좀먹은 斷層이여!

— 「좀먹은 斷層」 5, 6연

'천길 높이 쳐다보며 오르고 올라 이십여의 나의 청춘은 '인텔리'의 층
계에 올려 놓'았다고 시의 첫머리에서 회고하고 있는 화자는 그 자리가
'좀먹은 단층' 위라는 것을 새삼 반성하고 있다. 이렇게 반성된 현재를
'새출발의 신호'로 삼아야 한다고 말한다. 이런 내용으로 구성된 이 시의

1연과 2연에서는 화자의 주관적 메시지, 감상적 격정으로서의 파토스가 강하게 느껴진다. 그리고 이어지는 3연은 할아버지에 대한 이야기가, 4연에는 아버지의 이야기가 담겨 있다. 이어지는 5연에서는 인용에서와 같이 고향 마을을 떠난 것과 S시(서울)에서 성장한 내용이 담겨 있다. 그리고 마지막 6연에서는 1연과 2연처럼 강한 파토스를 느낄 수 있다. 파토스의 서정 부분(1, 2연과 6연)과 지나온 삶을 보여주고 있는 서사 부분(3, 4, 5연)이 따로 놀고 있다는 점에서 이 시의 시적 성취는 높게 평가하기 힘들다. 그나마 5연의 마지막 부분에서의 울림이 이 글을 서정 영역에 편입할 수 있게 해주고 있다.

할아버지와 아버지는 내가 세상에 있게 해준 육친적인 존재의 근원이 된다. 전통적인 차원에서의 존재의 근거인 것이다. 그런가 하면 '인텔리의 층계'에 나를 올려 놓은 것은 '아버지의 뼈골과 어머니의 치마끈'이다. 두 분의 헌신은 '지금의 나'의 근원이자 현존재의 근거인 셈이다. 또 나는 '구봉산 호랭이'며 '약물', '하늘을 끌리는 연돌도 잊지' 못하는 의식의 주체이기도 하다. '인텔리'라는 사회적 주체에게는 '별과 달과 이슬을 머금고 노래를 시험' 하는 삶의 유혹이 주어진다. 이때 화자가 반성하고 있는, '걷어차' 고자 하는 '헛된 꿈'은 앞에 제시된 모든 주체들로부터 비롯된 것이다. 즉 겹쳐진 꿈이다. 한 집안의 자손으로서, 부모님의 기대를 한 몸에 받고 자란 아들로서, 추억이 살고 있는 의식의 주체로서, 그리고 인텔리로서 꾸었던 꿈들이 모두 해당된다. '시대적 직분'을 직시하고 '오로지 손잡고' 민족적 주체로 설 것을 부르짖는 마지막 연에서 '좀먹은 단층'은 부정되고 극복되어야 할 것으로 이해하기가 쉽다. 정말 그런가.

'좀먹은 斷層은 헛된 꿈속에 쌓여지고 헛된 꿈속에 헐려지노니'에서 앞의 '헛된 꿈'은 여전히 좀먹은 단층이 쌓여가는 시간이며 공간이다. 그런가 하면 뒤이어 나오는 '헛된 꿈'은 좀먹은 단층이 헐려지는 시간이자 공간이다. 앞의 헛된 꿈과 뒤의 헛된 꿈을 꾸는 주체는 다른 시·공에 존재하는 '나'이자 '다른 나'이다. 마지막 행에서 화자가 '지나간 꿈이여 좀먹은 단층이여!'라고 했을 때 '지나간 꿈'이 부정적 의미로만 읽히지 않듯이 '좀먹은 단층'에도 역시 다양한 의미가 퇴적되어 있다. 어쩌면 우리들 생의 진정한 의미는 쌓이고 헐리고 다시 쌓이는 '좀먹은 단층' 속에서 시의 언어를 통해서 발굴되는 것인지도 모른다.

『칠면조』의 2부와 3부에서 보이는 '서정성'은 이와 같은 시인의 관점에 벌써 내재되어 있었던 것이다. '헛되고도 헛되지 않은 꿈'을 끊임없이 꾸는 것이 바로 이 '여럿주체'들을 습합하고 또 새롭고도 다양한 의미로 발산해 내야하는 서정주체의 역할일 것이다.

3. 전통 서정을 넘는 '서정기'

여상현 시인은 시집 『칠면조』의 2부와 3부에 실린 글들을 '유약한 붓대로 그려낸 한낱 추억에 불과한 서정기'에 쓴 글이라고 자평하고 있다. 그의 언급처럼 이 시기의 작품에는 소위 전통서정을 구현하고 있는 작품이 없지 않다. 제3부 '장미속에서'에 실려 있는「백화의 서정」이 대표적이라 할 만하다.

감또개를 주어 실에 꿰던 한나절
한바람 스스르 목에 걸고
나도 사립문전에 서면 중이 되리라

어제런듯 먼 어릴적 故鄕과 함께 그리운 것이여

이제 靑春의 나날은 구름이 많아

하얀 菩提樹꽃 욱어진 언덕에 앉어

그대와 더부러 어질고 보니

더욱 生은 구슬처럼 맑어지런다

따으로만 드리운 潔白의 菩提樹꽃

나의 가슴에 언제 하얀 薔薇송이 돋아나랴

초조로히 南風의 누른 보리밭길로

期約없이 돌아가는 幸福을 알자

– 「白花의 抒情」 전문

　화자는 '어제런듯 먼 어릴적' 을 회상하고 있다. 이 시가 회상에만 그치고 말았다면 '서정' 의 울림은 그리 크지 않았을 것이다. '서정의 울림' 은 과거로의 돌아감에서 울려나지 않는다. 시는 과거를 단순히 재현하는 것이 아니라 '과거를 시적 현재' 에 되살리는 것이다. '초조로히 南風의 누른 보리밭길로 / 期約없이 돌아가는 행복' 은 '보제수꽃' 의 행복이면서 곧 시적 현재에서 '감또개' 를 '목에 걸' 어 보는 '화자' 가 바라는 '행복' 이기도 하다.

　그런데 2부에 실려 있는 대부분의 시들은 소위 '전통서정' 의 방식에서 크게 벗어나 있다. 전통적인 측면의 자율성 즉 제1근대성으로서 휴머니즘적 가치를 구현하는 자율성의 원리는 칸트에 의해 완결된 것이다. 타인의 자유를 침해하지 않는 최대의 자유가 그것이다. 이 자율성이 이상으로 삼고 있는 것이 칸트의 용어로 '완전한 울타리' 이다. 사회의 모든 규칙을 완전무결하게 지켜내는 자율인 셈인데 문학에서 보자면 현실과의 절대 단절을 의미하는 것이기도 하다. 공간적으로는 무위자연 혹은 초월적 세계가 되겠고, 시간적으로는 절대시간으로서의 무시간성이라고 하겠다. 전통 서정시가 추구하는 세계, 낭만주의 시가 추구하는 것이 이와 다르지 않다.

사회의 규칙과의 관계를 끊고 주체의 시선을 '나' 에게 집중할 때 '나' 는 단독성을 획득 한다. 이런 개인주의의 가치를 실현하는 것이 독립성의 원리이다. 이 독립성은 인류라는 주체의 공동체를 상정할 때 심각한 문제에 봉착할 수밖에 없다. 이때 제기될 수 있는 대안적인 사유가 레비나스 '타율성' 이다. '타율성' 은 소통을 전제로 하며 이를 통해 민주적 관계가 회복된다. 사회가 개인을 구속하지 않고, 개인이 사회에 대해 독단적으로, 차별적으로 관계 맺지 않는 상호주체성 속에서의 소통, 자율성의 확장으로서의 타율성이 근자에 주목 받고 있다. 존재의 유한성을 인식한 주체는 '개인의 목표' 가 되고, '개인의 지평' [2]이 된다. 여상현의 「歸不歸」는 '소통' 에 대해서 생각하게 하는 작품이다.

온終日 城밖에 나와
두덩길위에 해가 저물었다
호올로 망서리는 마음을 안고 -

죄그만 개울이 있어
성큼 뛰어넘었으나
애써 돌아갈 길이 없구나

---

2) 알랭 르노, 앞의 책, pp.69~71.

菜蔬밭머리 女人도 돌아가버리고

먼 山마루 부풀어넘어오는 구름ㅅ장

이밤 또 나의 窓밖엔 궂은비마저 뿌리려나

저무는 新作路로 馬車를 달려

山모롱이 돌아들며 汽笛을 울려

돌아갈 기쁨도 슬픔도 나는 없노라

가까운 城市의 밤거리에 술이 있어

어느 친구가 나를 기두린들

무어라 盞을 기우려 豪言이 있을가부냐

차라리 이 두덩길위에 고스란히 서서

풀벌레 울고 電信ㅅ대 우는속에

나의 몸과 마음이 함께 어두어지리라

－「歸不歸」전문

　제목으로 삼고 있는 ‘歸不歸’는 당나라 시인 송유(宋維)의 「상송파(相送罷)」[3] 4구에서 따온 것으로 보인다. ‘귀불귀(歸不歸)’는 글자로 놓고 보며 함께 쓰는 것이 불가능한 모순적인 언어라고 할 수 있다. ‘귀(歸)’와 ‘불귀(不歸)’는 각자 상대의 불가능을 전제로 삼고 있는 말이기 때문이다.

---

3) 전관수가 펴낸 『한시어사전』에는 다음과 같이 해석되어 있다. “산중에서 그대 송별하고 난 뒤, 날 저물어 사립문을 닫네. 봄풀은 해마다 푸르련만, 그대 돌아올는지 못 올는지(山中相送罷, 日暮掩柴扉, 春草年年綠, 王孫歸不歸)”, 전관수, 『한시어사전』(국학자료원, 2002), p.560.

각주에 해석된 대로 떠난 그대(王孫)의 '귀와 불귀'를 화자가 가늠해 보는 차원이거나 혹은 주체가 '돌아갈 것인가 말 것인가'라고 선택의 순간에 직면했을 경우에 한해서 의미의 문이 열린다. 즉 '귀(歸)'이면 '불귀(不歸)'는 의미가 자연스럽게 사라지고, '불귀(不歸)'이면 '귀(歸)'는 의미가 없는 것이 된다. '귀'와 '불귀'는 상호주체성을 결코 획득할 수 없으며, 따라서 소통은 애시당초 불가능한 모순의 언어인 셈이다.

그런데 이 시에서 '귀불귀(歸不歸)'는 상대의 해소를 전제로 한 모순의 언어가 아니라 위반의 언어로 떠오른다. 1연의 화자는 두 개의 다른 시간 속에 놓여 있다. 하나는 일상의 삶이 근거로 삼고 있는 저무는 해의 시간이다. 다른 하나는 일상의 시간과는 별개로 흐르는 여전히 '호올로 망서리는 마음'의 시간이다. 일상의 시간 속에서 삶을 꾸리는 '채소밭머리 여인'이 돌아간 곳은 몸을 의탁할 집이다. 화자에게도 저녁에 '궂은 비'가 뿌릴지도 모를 '창'을 가진 집은 있다. 그러나 '죄그만 개울'을 '성큼 뛰어 넘어' '애써 돌아'갈 '길'과 닿아 있는 곳은 몸의 집이 아니라 마음의 거처이다. 몸의 거처와 마음의 집이 같지 않으니 몸이 '귀(歸)'이면 마음은 '불귀(不歸)'이고 마음이 '귀(歸)'하고 싶은 곳으로 향한 길을 몸은 찾지 못한다.

화자에게 없는 것은 '마차'가 달리는 '신작로'나 '철로'가 아니라 마음이 내달릴 길을 내어줄 '기쁨'이나 '슬픔'이다. 몸의 '소통'이나 마음은 '불통'인 화자(5연)는 결국 마지막 행에서 '나의 몸과 마음이 함께 어두워지리라'라고 노래한다. 그런데 화자는 어두워짐을 '몸과 마음'의 온전한 화해, 하나됨을 이루는 매질로 삼는 것 같지는 않다. '풀벌레'가 서로의 전언을 주고 받는 울음과 사람들이 소식을 전하는 윙윙거리는 전신주의 울음의 차이만큼 근대인들 사이에, 그리고 근대적 주체의 '몸'과 '마음'의 거리는 멀기도 멀다.

이러한 '귀불귀(歸不歸)'의 동시성은 근대인의 에너지의 원천이기도 하다. 근대인은 한편에는 시원을 염원하고 다른 한편에는 물질문명의 무한 발전을 갈망한다. 둘 사이의 이격이 크면 클수록 에너지는 폭발적으로 발산된다. 이와 같은 역동성(부정적)은 시원이 거처하는 마음의 시간의 건너편에 자연의 시간(태양의 시간) 대신 '시계의 시간'이 자리잡게 함으로써 극대화 된다.

세살난 계집애를 紅疫에 잃고
똑닥거리는 時計소리
한여름이 몹시도 외로웠던 어머니

섬돌밑에 귀뜨라미 자즐어지던 가을밤
어머니는 역정을 내여
外家에나 갖다주자던 時計

구부러진 통나무 기둥에
위태롭게 매달리어
누이의 工場시간을 알려주는
유난이 빛나는 얼굴을 지닌 時計야

허리띄 졸라매고 새벽밥에 쫓기면서
너 없이는 못살겠다는
어머니의 넉두리를
時計야 들었느냐

말썽많은 가난한집에

하냥 말없이 사는 時計야

우리 우리 의좋게 살아가자

                    - 「時計」전문

농사는 해의 시간에 전적으로 의지한다. 월력(月曆)을 쓰면서도 춘분 (春分)과 추분(秋分), 하지(夏至)와 동지(冬至) 등 해의 시간인 24절기를 둔 것은 이 때문이다. 어머니는 누구보다도 빈틈없이 달의 시간과 해의 시 간에 맞춰 살아가는 사람이다. 그러니 시계가 지시하는 시간이라는 것은 아무짝에도 쓸모가 없다. 정작 시간을 알려주지 못하는 시계의 째각이는 소리는 '세살난 어린 계집애'를 '홍역으로 잃었던' 슬픔의 시간을 돋아나 게 하는 몹쓸 것이다. 그러니 어머니의 역정인 것은 당연하다.

그런데 '구부러진 통나무 기둥에 / 위태롭게 매달'린 신세를 면치 못하 던 시계가 어느덧 어머니 위에 군림하는 역전이 발생한다. '누이의 공장시 간을 알려주'게 되면서부터 시계는 어머니의 지극정성을 받아 '유난히 빛 나는 얼굴'로 다시 태어나게 된 것이다. 이제는 하지(夏至)에도 동지(冬至) 에도 오직 시계가 지시하는 시간만이 유효한 시간이다. 공장이 문을 여는 시간, 근대인이 생활을 위해 노동하는 시간은 해가 뜨고 지는 시간에 의해 결정되지 않는다. 그 시간은 오직 시계만이 가리킬 수 있다. 가족의 목줄 을 쥐게 된 시계에게 '우리 의좋게 살아가자'고 말하는 마지막 행에는 근 대인이 겪는 일상의 비애가 고스란히 드러나 있다고 해도 과언은 아닐 것 이다.

4. 현실인식과 주체의 대응

우리의 삶이 이루어지는 장(場)으로서의 사회가 해방정국만큼 긴박하고 복잡하게 얽혀 있던 시절은 없었을 것이고, 또 없을 것이다. 해방은 되었지만 '여전히 진정한 해방'을 부르짖어야 하는 시기였고, 쌀을 생산하는 농민은 여전히 배고프고(「보리씨 뿌리며」), '대통령의 사무실도 박사의 방석밑도/봄날인양 따뜻하게 녹여주는' 석탄을 캐는 광부의 집은 조금도 따뜻하지 않은 시기였다. 여상현 시인은 일제 강점이 고스란히 미국의 지배로, 자본주의로 이어졌다는 것을 간파하고 있다. '삼천만 고루 살 우리 조선에 / 간사한 상인 교활한 외교 / 또 이 무슨 잠음이 있어 천년 역사를 훼방하느냐' (「맹서」)라는 일갈에서 민족주체의 자각을 읽어낼 수 있다.

이런 복잡다단한 현실에 대응하는 다양한 주체의 모습을 만날 수 있는 시가 시집 『칠면조』의 첫작품으로 실려 있는 「분수」이다.

슬픈 歷史가
午睡에 잠긴 古宮

홰를 치며 우는
닭의 울음이 어데서 들릴것만 같다

하늘을 쏘는 噴水
地熱과함께 猛烈히 뿜는 義憤이련가

墻넘어 불타는 아스팔드 거리에는
生活이 落葉처럼 굴르고

텅비인 庭園엔 星條旗 하나
「共委」休會後, 園丁은 때때로 먼 虛空만 바라볼뿐

비들기 깃드는 추녀끝엔 풍경이 떨고
꼬리 치며 몰였던 금붕어떼 금새 흩어진다

노상 속임수 많은 여름구름은
무슨 재주를 필듯이 머뭇머뭇 지나가는데
내 마음의 噴水도 사뭇 곳곳치려 하는구나

– 「噴水– 德壽宮에서」 전문

1연과 2연에서는 '역사적 주체'의 모습을 만날 수 있다. 여기에서 주체의 모습이 비감한 것은 주체의 인식이 위반 속에서 나온 것이기 때문이다. 1연의 '역사'는 '슬픈 역사'이고, '오수에 잠긴 역사'이다. 잠이 오는 슬픔이거나 슬픈 데도 잠들어야 하는 것은 비애다. 2연에서는 이와는 조금 다른 위반이 내재되어 있다. 이 위반은 '닭의 울음이 어데서 들릴 것만 같다'라는 대목을 희망의 메시지로 읽게 해 준다. 사람들의 새벽잠을 깨우는 닭은 새벽에 홰를 치며 운다. 그러나 오수에 잠긴 역사를 깨우는 닭은 꼭 새벽에만 우는 것이 아니다. 깨어 있어야 할 것이 잠들어 있을 때 능동적으로 울 줄 알아야 한다. 역사의 새벽은 역사의 어둠 다음에 있는 것이 아니다. 잠든 역사를 깨우는 닭의 홰대를 치며 우는 소리 다음에 있다.

이런 닭의 홰치는 모습은 3연에서 분수로 전이한다. 이때 주체는 역사적 주체에서 오늘의 현실을 직시하는 민족적 주체로 거듭난다. 그런가 하면 담장 너머는 일상이 굴러가는 생활의 장이다. 역사나 민족적인 상황과는 하등에 상관도 갖지 않은 듯이 '생활이 낙엽처럼' 구르는 일상적 주체들의 삶터이다. 옛 궁궐에는 주인 행세를 하듯 '성조기'가 있다. 5연과 6연은 다양한 주체들이 '서정 주체'로 습합되도록 해주는 통로의 역할하고 있다. 현실에서 한 발 벗어난 듯한 '정원사'의 모습, 그가 바라보는 성조기, 혹은 먼 하늘의 '구름', 그리고 비둘기와 풍경, 그 풍경 소리에 놀라 흩어지는 금붕어떼들의 묘사가 바로 그것이다. '역사적 주체'와 '일상의 주체', '민족적 주체'를 내면화한 서정주체의 마음 속에서 '곳곳치려' 하는 '분수'는 따라서 단순히 역사를 깨우고자하는 '홰를 치며 우는' 소리에 국한 되지 않는다. 마치 하늘에서 뿜어져 나오는 분수와도 같은 여름 소나기처럼 그 모든 것들을 지우는 것이어야 더 아름다울 것이다.

한층 파편화된 주체, 다양한 인물 군상들를 만날 수 있는 시가 「복로방(福爐房)」이다.

고린 자반토막 퀴퀴한 길목짝
제마다 고달픈 노염인양 뿜어대는 자욱한 담배煙氣
福爐房 유난히 낮은 天井이
지친 나그네들의 가슴을 누른다

작고만 흐려지는 남포燈 심지
돋구며 돋구며 渴한 하품속에
다시금 來日의 里程을 헤아리며 감발을 푼다

돌아앉아서 부스럭대던 웬 中年나그네

銀錢소리를 내고 제혼자 놀래 주춤하고

수잠을 자던 황애장수 영감도 덩달아 놀랜다

木枕을 못벤 不平은 初저녁부터 코들이 들고 일어낫고

「감돌」을 꺼내보히며 입심껏 떠들던 영감님

긁적 긁적 사쓰밑에서 金을 파는게다

「大韓獨立」을 이러니 저러니

큰기침 섞여가며 떠들던 老人도

상노 아이 못데리고 온것이 무척 뉘우치는듯

안절 부절 하다간 새우잠이 들었다

竹窓을 밝히는 뜰앞 長明燈

房은 港口 가까운 海灣처럼 어수선한데

외입쟁이 애꾸눈이 土産망아지의

이따금 굴으는 발굽소리가 자칫 외로웁구나

이윽고 머나먼 마을에 닭우는 소리

지새는 밤을 털고 일어나

내 아직도 千里길을 가야하는가

　　　　　　　　　－「福爐房」 전문

'복로방' 은 주막과 여관이 드물었던 시절에 여러 길손들이 함께 모여

잠을 자는 주막집의 가장 큰방을 일컫는 말이다. 정확한 표현은 '봉놋방' 인데 시집 『七面鳥』의 제목을 전체적으로 한자로 달면서 부득이하게 쓴 표현으로 보인다. 이 시의 서정적 성취는 예사롭지 않다. 화자의 시선은 주로 가로의 시간을 따라 움직인다면 시적 현재는 그 지평을 주로 세로의 시간을 통해 확장하고 있다. 서정 주체가 의미를 생산하는 장은 그만큼 깊고 넓어질 수밖에 없다.

앞의 「분수」가 '자아'가 인식하는 다양한 주체의 모습(역사적 주체, 민족적 주체, 일상적 주체)을 담아내고 있다면, 「복로방」은 '자기'와 대상들 간의 상호주관적 상관성 속에서 형성된 다양한 주체들을 만나 볼 수 있다.[4] 시적 주체의 모습이 텍스트 안에서 선명하게 드러나는 경우는 많지 않다. 대상을 노래하는 '화자'의 입장에서 다소 애매모호하게 드러나는 경우가 대부분이었다. 이 말은 텍스트를 전체적으로 장악하고 있는 지위의 시적 주체는 흔히 만나볼 수 있었어도, 텍스트에서 하나의 개체로서 다른 대상들과 관계를 맺는 시는 흔하지 않다는 말이다. 「福爐房」이 흔하지 않은 시들의 예 중의 하나다. '福爐房'에서는 다른 삶의 군상들과 다를 것 없이 하루의 여정을 '감발'로 풀어놓고, 내일의 '이정'을 그리며 잠을 청하는 화자의 모습이 선명하게 드러난다. 그런데 이 화자는 선험적 주체로서 근대 주체가 누려왔던 권위를 부리지 않는다. 멀찍이서 관찰하고 그것을 주관적으로 그리는 전통적인 시적 주체의 모습이 아니라는 것이다.

이 시의 서정적 성취는 여기에서 비롯된다. 관찰자와 판명자로서의 권

---

4) '자아'는 오직 정신적인 측면에서의 '나'를 일컫는다면, '자기'는 신체까지도 포함한 '나'를 일컫는 것이다. 정신적 자아에서, 정신과 신체를 포괄하는 '자기'로의 인식의 전환은 제1근대성에서 제2근대성으로 전이를 표시하는 한 징후이자 제3근대성의 근대성으로서 '타율성'을 예비하는 것이기도 하다. 최근 '몸'에 대한 철학적 담론이 중요하게 대두하고 있는 것도 이와 다르지 않은 맥락에서 일 것이다.

위를 벗어난 화자는 텍스트 그 안에 습합된다. 시적 주체는 대상 쪽으로 향하고, 대상은 시적 주체 쪽으로 향한다. 그러다 시적 주체는 '자기' 쪽으로 방향을 틀고, 대상은 저대로 멀어지기도 한다. 이 소통의 과정에서 시적 의미를 형성하는 능동적 주체로서 '서정 주체'가 떠오른다. 이 서정 주체를 통해 의미를 길어 올리는 것은 화자가 아니라 청자이며 더더구나 작가가 아니라 독자이다. '사회적 주체', '민족적 주체'는 개체성을 지우고 큰 명분 속에 하나로 묶여져야 건강한 주체라고 할 수 있다. 개인성, 개별성을 따지는 것은 지극히 이기적인 것이며, 이기적인 것은 곧 정당하지 못한 것이었다. 그러나 여기 '복로방'은 그야말로 '개별성' '개인성'이 어제의 여정과 내일의 이정 사이에 놓인 것 이외에는 아무런 공통성이 없는 것들의 공간이며 시간이다.

대상들은 가로의 시간 위에 놓인다. 개별적이라는 것은 이 가로의 시간이 서로 다르다는 것을 의미한다. 자본주의적 삶의 한 유형을 보여주는 '은전소리를 내고 제 혼자 놀래 주춤하'는 '中年나그네', '덩달아 놀랜' '수잠을 자던 황애장수', 잠들기 전에 '감돌' 꺼내놓고 금이 박혔네 은이 박혔네 떠들다 잠이 들어서는 '긁적 긁적 사쓰밑에서 金을 파는' 영감, 민족적인 것과 봉건적인 것들이 여전히 혼재해 있는 '대한독립'을 떠들고, '상노아이'를 데리고 다니는 '老人', 그리고 '죽창을 밝히는 뜰 앞 장명등'을 바라보는 '나'를 포함한 '복로방'의 인물들의 모습이 '감발'을 풀고 잠이 든 이후까지의 시간 속에서 겹쳐진다.

큰 전쟁이 일어나서 항구에 모인 군함이 아니라면 항구에 닿은 배들은 목적도, 목적지도 모두 다르다. 그래서 '복로방' 역시 '港口 가까운 海灣처럼 어수선'하다. 이런 인물 군상이 '외입쟁이 애꾸눈이 土産망아지'로 겹쳐지면서 세로의 시간이 가로의 시간의 두께를 더 한다. 각자의 시간이

잠처럼 늘어진 복로방은 '土産' 망아지, 그것도 '외로운' '외입쟁이 애꾸
눈이'와 겹쳐지면서 하나의 정서를 표출한다. 이 정서가 표출되는 통로,
창문이 곧 '서정주체' 다. 서정주체는 대상과 독자와 시적 주체가 맺는 관
계 자체이기도 하다.

이와 같은 서정주체를 거친 시적 주체로서의 화자는 '내 아직도 千里
길을 가야하는가' 라고 노래한다. 다시 '백리' 를 가서 하루의 여정을 풀어
야 할 곳도 오늘과 다르지 않는 '복로방' 일 것이고 다시 또 백리를 가도
마찬가지일 것이다. 이 마지막 행이 비탄적인 것은 정작 천리를 다 가서
닿은 곳이라고 하더라도 '복로방' 과 다를 것이 없을 것이기 때문이다. '복
로방' 은 비단 객들이 잠든 여관의 방을 지칭하는 것이 아니다. 내적으로는
무수한 가치들이 겹치는 '자기' 일 것이며, 외적으로는 다양한 가치들이
혼재하게 된 해방정국의 사회의 모습이며, 민족의 모습이기도 한 것이다.
'이윽고 머나먼 마을에 닭 우는 소리' 에 '지내는 밤을 털고 일어나' 기어
이, 혹은 어쩔 수 없이 가야만 하는 것이 오늘 우리에게 주어진 삶이 아닌
가. 시인 여상현은 오늘 우리들의 삶을 아주 오래 전에 이미 살았던 시인
이지 않은가.

5. '여럿주체' 를 위하여

오늘은 누구도 절대 진리를 주장하지 않는 시대인 것은 분명하다. 그렇
다고 이것이 곧장 진리를 부정하는 것으로 연결되는 것은 아니다. 진리가
어떤 본질과 관련된 것이라면 진실은 그 본질에 닿는 과정과 관련된다. 그
렇기 때문에 선험적 주체나 절대 주체로는 진실의 면면을 다 포착할 수 없

다. 일면만을 보고 전체인양 침소봉대하는 누를, 그 진실의 단 한면만을 들고 이데올로기화하는 근대의 누를 다시 반복해서는 안 될 것이다. 우리가 동시에 진실에 다가서고 그 진실을 전방위에서 파악하기 위해서는 다수의 주체가 되지 않으면 안 된다. 정답은 인간의 시각이지 진실의 시선은 아니다. 그러므로 오답은 틀린 답이 다니라 다른 답이어야 한다.

늘어진 낯빛이 여러 가지 빛으로 변한다고 해서 붙여진 이름 칠면조(七面鳥). 어떤 색의 낯빛을 띨 때 칠면조는 진짜 칠면조일 것인가. 여상현의 표제작 「七面鳥」로 결론을 대신한다.

速製의 憂國士와 洋裝女들은
어느새 七面鳥의 習性을 배웠다
낯설은 사람과도 外交가 能해
蓄財의 지름길로만 달리는 것이다

일직이 黑人들이 즐기던 새라
開拓者들이 잘도 먹었었다지
「린컨」氏의 獅子吼가 功을 이루어
解放朝鮮에까지 와준 黑人의 恩惠를 어이 모르랴

昌慶苑에서 돈 내고야 구경한
가지 가지의 異國産 즘생중에도
어른들이 가장 무서워하는 變節의 奇鳥
謀利輩들은 무릎치며 嘆服하리라
「크리스마스」의 七面鳥料理床ㅅ가에

戀愛도 장사도 政治도 하그리 어려운 일이 아니오매

國民들의 榮養이 좀 좋았으랴

호사스러운 歲月이 연실처럼 풀려나가는 것이렸다

메마른 이나라 백성들도

이제 七面鳥料理를 귀떨어진 소반우에 올려놓고

情다운 食口들이 모이고, 四寸성님도 오시래서

獨立이 오니니 가느니 이야기 할건가

신극운동의 첫 문을 열다 : 김우진

정경운*

1. '다만 분한 것은'

나는 내 이외 사람들의 욕이나 춤이나 매를 무서워하지 않는다. 다
만 분한 것은 만일의 '오해' 뿐이다. 이 기록의 단편들이 이것만을 피해
주게 하는 데 참고가 되면!

1926년 8월. 김우진이 투신하기 4일 전에 동경을 떠나면서 남긴 글이
다. 『마음의 자취』란 제목을 가진 한 권의 노트로 남은 일기장을 동생인
익진과 평소의 절친한 친구였던 조명희와 홍해성에게 넘겨주고 그는 떠났
다. 자신의 최후에 대한 '만일의 오해'를 선견했음에도 불구하고, 그의 범
상치 않은 죽음은 그를 온전히 두지 않았다.

1920년대 한국의 문화적 환경에서 연극이란 지식인들의 주된 관심사
가 아니어서 김우진의 활동은 어디론가 사라져버리고, 단지 유명 여가수

전남대 문화전문대학원 교수

와 더불어 '정사' 한 낭만주의 지식인으로 기억될 뿐이었다. 그리고 그 그림자는 지금도 여전하다.

2. 최초의 리얼리즘 공연

> 극의 진행함에 따라 군중은 '잘한다 참 잘한다. 과연 잘한다' 하면서
> 그 손바닥에 못이 박이도록 뚜드린다. 그럴 뿐 외라 관객은 서로 바라
> 다보면서 연해 연방 이것이야말로 참연극이로구나 하는 말도 들니었다
>
> — 동아일보 1921. 7. 18.

1921년 동경. 하기방학을 앞두고 김우진을 위시해 조명희, 유춘섭, 진장섭, 홍해성, 고한승, 조춘광, 손봉원, 김영팔, 최승일 등 20여명이 와세다대 교정에 모여 들었다. 모두 동경 유학생들이 중심이 된 '극예술협회' 회원들이었다. 동경 고학생들과 노동자들의 모임인 '동우회'의 제안 하나를 받은 터였다. 회관 건립 기금을 마련하기 위해 하기 순회 연극단을 조직해 달라는 요청이었다. 연극 연구를 위해 모였다고는 하지만 그동안 회원들은 주중에 관람하거나 독서한 작품을 토요일에 모여 토론하고 강평한 정도에 머물렀을 뿐 그렇다할 활동이 없었던 그들에겐 그동안 공부해 왔었던 것을 현장에서 실천해 볼 수 있는 기회였다. 다른 이의가 있을 수 없었다.

문제는 공연의 내용을 무엇으로 채울 것인가였다. 1년 전 협회를 창단했을 때, 단지 개인적 열정만 충천했던 것은 아니었다. 당시 조선에서 창궐하고 있는 신파극에 대해 '반신파(反新派)'라는 명료한 대의를 가지고

출발했었다. 10년 전부터 불기 시작한 신파 바람은 전 조선을 강타할 정도의 강력한 폭풍이었다.

하지만 신파극이라는 것이 무엇인가. 1888년 일본 구파극인 가부끼(歌舞伎)극에 대립하는 의미로 생겨나 유행하던 것이 청일전쟁, 을사보호조약을 거치면서 조선으로 대거 유입되기 시작한 일본인들을 따라 들어온 연희였다. 충무로, 남대문 등지에 일본인 전용 극장들이 생겨나기 시작하고 일본유학파 다수가 이 신파극을 배워 여기에 힘을 보태기 시작했던 것이 또한 10년 전부터였다. 순전히 조선과 만주를 오르내리던 일본신파극단의 영향과 그 답습으로 이루어진 조선 신파극은 오락물이 별로 많지 않았던 1910년대 조선의 저급한 대중적 공감을 이끌어내면서 번영해 나갔다. 신파극이 가지고 있는 독특한 감상성과 홍루적 속성은 수백 년 동안 억압과 빈궁 속에서 살아온 데다가 실국의 비탄에 빠져 젖어 있던 식민지 대중의 정서에 맞아떨어졌던 것이다. 그동안 혁신단, 문수성, 혁신선미단, 청년파일단 등 무려 20여개의 극단들이 생겨나고 사라지기를 거듭했으며 공연한 신파극의 레퍼토리는 기록상으로만도 100여편이 넘는 상황이었다.

그러나 젊은 청년들의 눈으로 보기에 조선 신파극의 문제는 단순히 양적인 차원이 아니라 그 내용에 있었다. 초기 신파극의 대부분은 일본인의 신파극을 그대로 조선 사정에 맞추어 옮겨 놓은 번안극이었고 그 중에서도 청일·러일 전쟁을 테마로 한 일본의 신파극이 그대로 이행된 군사극이 압도적이었다. 군사극은 군인이 주인공으로 등장하는 가정극과 권선징악에 바탕한 가정비극이나 인정극 등이 주조를 이루면서 대부분 헌신(獻身)에의 강제, 의무에의 인종, 자유와 자아의 포기, 인간성을 부정하는 일체의 체념과 눈물을 강요하고 있었다. 이 때문에 신파극은 감정분출의 유일한 위안오락물이었고, 극장은 대중, 특히 여성이 마음껏 울 수 있는 '통곡의 장'이었다.

체념과 눈물은 식민지 조선 민중에게 치명적 독소라고 생각했던 이들은 무소불휘의 이 신파극에 대응할 만한 보다 강력한 무엇인가를 제시해 주지 못하면 공연이 자칫 학생들의 재롱잔치 정도로 끝나고 말 것이라 판단했다.

그리하여 이들이 선택한 레퍼토리는 조명희의 창작극 「김영일의 사」, 홍난파의 소설 「최후의 악수」를 각색한 2막극, 던세니 원작의 「찬란한 문」이었다. 도쿄에서 고학하는 유학생 김영일의 수난을 현실 그대로 다룬 「김영일의 사」를 비롯하여 모두 이런 저런 모양새로 인간 자유의 문제를 다루고 있는 사실주의 계열의 작품들이었다. 여기에 홍난파와 한기주의 바이올린 연주, 윤심덕의 독창까지 곁들였다.

1921년 7월 7일. 부산 공연을 시발로 하여 김해, 마산, 진주부터 철원, 함흥에 이르기까지 전 조선에 걸쳐 장장 40여일의 대장정을 하게 된다. 이 대장정은 우리나라 희곡사에서 최초의 리얼리즘 공연이자 신극운동의 출발점으로 기록되고 있다. 그리고 대성황을 이룬 이 대장정의 준비에서부터 마무리까지 실질적인 중심이 바로 김우진이었다.

3. '항명'과 목포로의 귀향

「네 아버지가 그리도 미우냐.」

「한량없이 밉다. 그러나 존경은 한다. 그렇기 때문에 평시에 내가 아버지 말을 거역한 일이 한번이나 있었니? 다만 웅본(雄本)서 문과대학으로 갈 때, 진길(필자 : 김우진의 장녀)이 의장문제를 내 맘대로 우겨

정했을 때, 또 이번 내 출가, 그 세 경우 외에는 나는 충실한 아들 노릇, 순한 남의 집 자제 노릇을 해왔다. 그러나 나는 내가 기인(奇人)이란 것은 내 속 생활이 외부의 아무것도 관계할 수 없는 것임을 잘 알고 있다. 안다는 것보다는 나는 참을 수 없이 내 속 생활의 힘에 뛰놀고 있다.」

— 「아 프로테스토」, 1926. 6. 9

관부연락선을 타고 부산으로 향하던 김우진의 어깨에는 힘이 들어가 있었다. 부친이 반대하던 문학에의 길로 들어선 지 채 반 년이 되지 않은 상황이었다. 소년시절부터 소설 비슷한 것을 끄적거리기는 했지만 애초에 유학 온 목적이 문학을 공부하자는 것은 아니었다. 구마모또농업학교(熊本農業學校)에서 농과를 공부하기 위해 일본에 들어온 것이 6년 전인 1915년이다. 대지주의 장남으로서 재산관리를 위해 농림을 알아야 한다는 부친의 엄명에 따른 것이었다.

그가 부친을 좇을 수밖에 없었던 것은 워낙 어렸던 데다 내성적인 성격인 탓도 있었지만, 부친은 단순히 개인의 치부만을 위해 자식에게 농업공부를 시키고자 한 것이 아니라는 것을 일찍이 알고 있었기 때문이었다.

부친 김성규는 장성군수, 무안항감리, 강원도순찰사에 이르기까지 관직에 임할 때도 탐관오리 숙청 건으로 이미 명성이 자자한 사람이었다. 1905년 을사보호조약이 체결되자 다시는 출사하지 않을 것을 맹세한 뒤 고향 장성에 선우의숙(先憂義塾)을 설립하여 자식들과 인근의 유지 청년들을 가르쳤다. 목포 성취원으로 옮겨오기 전까지 김우진 또한 그곳에서 농업을 제일의 과목으로 배웠던 것이다. 김우진 스스로 부친을 일컬어 명명한 바, '정력적인 천재'라는 개인적 품성에서부터 도덕적 대의까지 갖춘 부친은 그로선 넘을 수 없는 산맥과 같은 존재였다.

구마모또에는 마침 재종조부가 사업차 가 있었으므로 바로 아래 동생과 농업을 공부하기에는 편리한 곳이었다. 그러나 농업학교 3년, 와세다대 예과 3년을 마치는 동안 내부에서 꿈틀거리는 열정, '힘' 은 그 또한 어쩔 수가 없는 운명과 같은 것이었다. 그 꿈틀거림의 증거가 바로 '극예술연구회' 의 발족이었다. 연극과의 만남은 결국 김우진을 '문학과' 선택이라는 길로 들어서게 만든다. 아버지의 명을 거스른 첫 번째 항명이었다.

아버지라는 거대한 산맥을 온전히 넘어서기 위해서라도 김우진은 어떻게든 자신의 선택이 썩 괜찮았다는 것을 증명해보여야 했다. 그 첫 번째 작업이 문학과에 들어와 공식적으로 자신의 이름을 세상에 선보인 「소위 근대극에 대하야」(『학지광』, 1921.6.)였다. 문학과에서 영문학을 전공하긴 했지만 커리큘럼 상당부분이 연극과 관련된 것이었고, 그동안 교양수준을 벗어나지 못했던 김우진에게 이 교과목들은 연극이론에 대한 눈을 뜨게 해준다.

여전히 교양적 수준에 머물러 있기는 하지만, 계몽주의적 연극관을 바탕으로 쓰여진 「소위 근대극에 대하야」는 영문학 전공 1년차의 포부 당당함이 발산되고 있는 글이다. 그중 주목할 만한 내용은 근대극을 발전시키기 위해서는 경영과 연출의 능력을 동시에 지닌 연출가를 필요로 한다는 주장이다. 40일간의 공연에서 연출을 맡기로 했던 김우진은 이 글을 막 잡지사에 보내놓고 관부연락선을 타게 된다. 이렇게 볼 때 「소위 근대극에 대하야」는 교양적 수준에서나마 주장해 본 신극 운동의 방침이며, 동우회 순회 연극단의 활동은 바로 이러한 김우진의 야심과 자신만만함의 실천형식이었던 것이다.

1924년 6월. 3년간의 화려한 항명 기간을 마친 김우진은 목포로 다시 귀향한다. 만 10년의 일본 생활을 마치고 돌아온 김우진에게 성취원은 여전히 아흔 아홉 간의 위엄을 갖춘 성채였다. 그가 이곳 성취원(成趣園)으로 들어온 것은 11살 때였다. 장성 초심정에서 다섯 살 때 어머니가 돌아가신 후, 새로 맞이해야 했던 세 명의 어머니와 10명의 이복남매들이 이 성취원에 달려 있는 기억이다. 마음 하나 어디 붙일 데 없는 유년이었다. 자신이 근무해야 할 '상성합명회사'는 바로 이 성취원에 자리 잡고 있었다. 직장이자 가정인 셈이었다.

부친이 만든 상성합명회사의 주된 사업은 부동산 투자와 농업, 임업, 잠업과 관련된 사업, 그리고 사채업이었다. 생산, 판매, 서비스업까지를 담당하는 오늘날의 종합상사의 기능을 닮아 있다. 김우진이 학업을 마치고 귀향하였을 때 김성규가 이러한 자신의 사업을 맏아들에게 계승시키고자 하는 것은 매우 자연스러운 소망이었을 것이다. 게다가 전년에 이미 일본에 있는 김우진을 불러들여 간호를 부탁해야 할 만큼 부친의 건강이 좋지 않은 상황이었다. 불가항력의 이 상황을 김우진은 2년을 버티어낸다. 그러나 일상 중에도 그의 머릿속에서 어떤 생각들이 소용돌이 치고 있었는지를 친구 조명희에게 보낸 글에서 확인할 수 있다.

> 오랫동안 적조했오이다. 내 생활이야 그러니까(형의 상상대로) 형에게 쓸 생각이 매일 몇 번씩 있었으면서도 못하고 못하고 지내왔습니다. 창작욕이 성하면서도(실상 졸업 전보다는 정신 상의 자유가 있으니까, 아주 이 충동이 많습니다) 시간이 없어 그저 지냅니다. (중략) 외면으로 봐서 what의 생활보다는 how의 생활에 참뜻이 잇을 것이외다. 내 생활을 내가 결코 변호하는 것이 아니오, 내가 내성하며 또 어떤 때는 객관적으로 비판하는 때도 있습니다. 그럴 때마다 희망은 있습니다. 열과 힘이 나옵니다.
> — 1924. 8. 24. 일기

가업을 돌보느라 정신없는 중에도 자신은 자기 비판을 통해 생명력을 잃지 않고자 노력하고 있음을, 그리하여 언젠가는 창작을 할 수 있을 것을 다짐하고 있다. 김우진은 스스로에 대한 약속을 지키기 위한 첫 작업으로 이듬해인 1925년 5월 목포에서 '5월회(Socit Mai)'라는 문예써클을 조직하고 같은 이름의 문예지를 6월에 발간한다. 여기에 「곡선의 생활」, 「창작을 권합네다」 등 글을 발표하는 등 문학적 활기를 받음으로써 어느 정도 정신적 안정을 찾는다.

그러나 어떤 이유에서인지 문예지는 2권을 끝으로 더 이상 발간되지 못하고, 이후 '5월회' 활동도 지금으로서는 알기 힘들게 되었다. 재정이나 필자 확보 문제 같은 여러 가지 이유가 있었겠지만 무엇보다 김우진의 관심이 이미 희곡 창작에 뻗쳐 있었기 때문인 것으로 보인다. 그가 남긴 희곡 중 창작연대가 분명하지 않은 「정오」를 제외하고도 「이영녀(李永女)」와 「두데기 시인의 환멸」 두 작품이 1925년 겨울에서 1926년 봄 사이에 창작된 것으로 추정되기 때문이다. 조선 신극 운동의 최선봉에 서 있던 이름값에 어울리지 않게 내내 시와 평론에 매달려 있던 그가 마치 봇물처럼 희곡 창작품들을 내놓기 시작한 것이 이때였다. 창작열은 식을 줄 모르고 연이어 5월에 내놓은 「난파」로 이어진다.

습작 작품으로 보이는 「정오」는 민족문제, 세대갈등 문제, 계급문제에 이르기까지 당시 김우진의 세계인식이 미숙하게나마 드러나고 있으며, 「이영녀」는 남성의 폭압 속에 죽음에 이른 여인의 비극적 연대기를, 「두데기 시인의 환멸」은 현실을 직시하지 못하는 위선 가득한 시인의 자아환멸을 보여주고 있다. 이 세 작품들 모두 '극예술연구회' 활동 때부터 김우진 자신의 이념적 지향 중 하나였던 사실주의적 경향을 갖고 있는 것들이다. 이와 달리 「난파」는 김우진의 또 다른 꿈 하나를 실현해 내보인 작품이다.

우리나라 최초의 표현주의극이라는 타이틀이 그것이다. 김우진의 작품 중 유일하게 여성이 주인공인 「이영녀」를 제외하곤 세 작품 모두 김우진 자신의 모습이 투영되어 있는데, 특히 「난파」는 김우진의 개인사에 관련된 내적 고통이 절절이 드러나고 있어 주목된다.

父　(나온다) 이 늙은 얼굴을 보렴. 주름 잡힌 관자뼈가 나오고,
　　온갖 간난신고에 껍질이 된 이 얼굴을!

詩人　난 안 속아요. 안 속아!(목을 걸려고 한다)

父　(달려와 붙들며) 내 말을 잘 들어야 한다.
　　너는 눈이 있어도 볼 줄을 모르는구나.

詩人　나이는 먹어 가면서도 눈은 점점 검어가오 그려.
　　날 좀 보게 해줘요 (母에게) 튼튼하게, 씩씩하게
　　어머니를 보게 해줘요.(운다)
　　(중략)

父　(金盞을 내주며) 자, 이 술을 마셔라.
　　마음을 가라앉혀 보렴. 이것은 밤은 되지 못해두 너에게
　　힘을 준다. 네 애비가 아니면 누가 이런 것을 줄줄 아니?

詩人　(받아 마시며) 오, 아버지. (주린 개 모양으로 마신다)

母　(가까이 덤벼들며 낙담한 듯이) 오 그것은!
　　(하는 수 없는 듯이) 흥, 그것두 좋지. 아들아.
　　내가 낳아서 제일 미워하는 내 아들아!
　　(무대 어두워지면서 Caro Nome 소리 moderato로)
　　나가거라. 저 소리를 따라. 네 눈을 뜨기 위해.(父 질색을 한다)

詩人　(벌벌 떨며) 오, 어머니!

충군보국을 강조하는 보수적 기성세대로서의 아버지와 과거와의 인연의 사슬에서 벗어나게 해 줄 수 있는 구원의 힘으로서의 어머니 사이에 김우진 자아의 모습이 서 있다. 시인의 영혼은 어머니에게 이끌리지만 아버지의 '금잔'은 뿌리칠 수 없는 세상의 유혹이다. 유혹의 잔을 드는 순간 시인의 '눈'은 상실된다. 자아의 상실이다. 자신의 영혼을 볼 수 없는 검은 눈. 상성합명회사 사장 자리에 앉아 결재 도장을 찍고 있는 자신의 모습에 대한 김우진의 자기 진단이다.

그럼에도 불구하고 포기할 수 없는 어머니의 목소리는 시인이 눈을 뜨기를 염원하고, 끝내 시인은 유년시절 어머니의 상여가 나가던 뒷모습을 기억하면서 여전히 세상에 울림으로 남아 있는 어머니의 사랑을 확인하곤 어머니의 길을 선택하게 된다. 곧 난파(難破)다. 아버지의 금잔을 거부하는 순간 세상의 안락함이 깨어지는 난파의 지경이 되지만 시인으로서는 영혼의 눈을 찾는 유일한 방법이다. 그리고 김우진은 자신의 눈을 찾기 위해 동경으로의 '출가'를 결심하게 된다.

4. 홍해성과 축지소극장

아버지 당신은 저를 업시녁이시지요-. 그것이 당신의 권리이닛가. 저는 아버지의 돈으로만 사러왓스닛가. 하지만 저는 이 심장 속 회오리 바람으로써 처음으로 아들이라는 울타리를 뛰어너멋습니다. 그래서는 못 쓴다구? 대체 무슨 법칙이 잇기에 저를 이 속박 속에 지버넛슴닛가. 아버지도 역시 사람이 아니요? 저도 역시 사람이 아니요? 저는 아버지 무릅 밋헤 안저서 아버지를 축복햇습니다. 그런대 당신은 저를 이런 엄

청나는 고통 속에다가 너어두고 잇섯지요. 그것이 아버지가 저한테 주
시는 사랑이오 그려. W. Hasenclever : 〈Der Sohn〉

- 「출가」, 『조선지광』 제58호, 1926. 6. 21

동경으로의 출가는 김우진의 짧은 인생에서 아버지에게 행한 세 번째
이자 마지막 항명이었다. 그저 집안의 재산이나 관리하면서 시간을 보내
기에는 자신 내부를 뒤흔들어대는 생명력이 그를 가만 놓아 두지 않았던
것이다. 비평으로 다져진 이론적 기반과 그동안 자신에게 치명적 빈 공간
으로 남아 있던 창작에의 경험은 수년전 열에 들뜬 듯 자신을 흥분시켰던
신극운동에의 열정에 다시 불을 지피기 시작했다. 이런 그에게 목포라는
조그만 항구도시는 그 자신감을 실현시키기에는 문화적으로 너무나 척박
한 공간이었다. 그리고 무엇보다 동경에는 그의 정신적 후원자이자 연극
운동의 동지인 홍해성이 기다리고 있었다.

출가하기로 마음먹은 것은 1926년 5월말 경. 애초의 목적지는 동경이
아니었다. 러시아나 그밖의 나라로 떠나 본격적인 연극 공부를 하려고 작
정한 그는 먼저 경성으로 올라갔다가 우선 일본에 가서 어학 공부를 할 계
획으로 동경을 택했던 것이다.

두 달여의 동경생활은 김우진에게 있어 신극운동에의 열정에 불을 당
긴 듯하다. 김우진이 와세다를 졸업하고 목포생활을 하던 1924년 10월 무
렵, 홍해성은 이미 신극운동을 위해 김우진을 방문한 바 있었다. 뜻을 같
이 해줄 것을 염원하던 홍해성으로서는 김우진의 동경행에 상당한 기대를
걸었을 법하다.

사실 홍해성이 김우진과의 인연을 따지자면 비슷한 것이 한두 가지가
아니었다. 집안의 바람대로 변호사가 되기 위해 1917년 일본 유학길에 올

라 중앙대학 법학과에 진학하였지만, 김우진과 함께 '극예술협회'에 가담하고 동우회 순회 공연에 참가하면서 아예 전공을 바꾸어 일본대학 예술과에 편입해 연극의 길로 들어서버린 것이었다. 김우진이 떠나고도 자신은 1924년 '축지소극장'이 설립되자 조선인으로는 유일하게 배우로 참가하여 공연 활동을 해왔었다.

1924년에 오사나이가오루(小山內薰)와 히지가타요시(土方鄧志)가 주축이 되어 건설한 '축지소극장'은 근대극에 대한 그들의 인식을 실천하는 극단의 명칭이면서, 그 당시 최고 수준의 무대 설비를 갖춘 사백 석 정도의 공연장 명칭이기도 했다. '연극을 위하여', '미래를 위하여', '민중을 위하여' 존재한다는 목표를 세우고 활발한 활동을 펼쳤던 이 극장은 일본 근대극 정립에 결정적 기여를 하게 된다.

홍해성과 김우진은 자신들이 축지소극장의 오사나이가오루와 히자가타요시와 같은 환상의 콤비가 될 수 있을 것이라 생각했었을 것이며, 무엇보다도 극장 안에서 상영되고 있던 작품들이 '극예술연구회'부터 지향하고자 했던 번역극 중심의 사실주의 연극들이 주류를 이루고 있었다는 점에서 두 사람에게 이 극장은 자신들이 꿈꾸었던 신극 운동의 모델인 셈이었다. 홍해성이 아니라도 김우진을 사로잡았던 것은 히지가타요시였다. 그는 김우진 자신이 공부하러 떠나고자 했던 독일에서 정통 표현주의 극을 공부하고 온 사람이었다. 그로 인해 극장은 1회 공연 때부터 독일 표현주의 작품들이 무대에 본격적으로 공연되기 시작했고, 자신이 동경으로 오기 직전 탈고한 「난파」 또한 이러한 표현주의적 기법을 염두에 둔 것이었다. 「이영녀」 같은 사실주의적 작품들과는 전혀 다른, 나아가 조선 내에서도 처음으로 시도했다는 생각에 가슴이 벅차 스스로 작품 앞에 독일어로 '3막으로 된 표현주의 희곡(Expressionistische sprelin drei Acten)'

이란 부제를 붙여놓지 않았던가.

연극을 공부하던 시절 스트린드베리(A. Strindberg)나 독일 표현주의 극들은 자신을 사로잡기에 충분했었다. 그것들이 갖고 있는 세대 간의 갈등이 자신의 개인적 상황과 거울처럼 닮아 있었기 때문이었다. 특히나 불안, 자아분열, 객관세계의 해체, 물화, 주체·객체의 소외 등 독일문학사에서도 유례가 없을 만큼 강렬한 빛을 품으며 등장한 표현주의적 세계는 아버지가 만들어준 울타리에 갇혀 가업을 물려받기를 강요받고 있었던 김우진에게 자신을 표현할 수 있는 가장 효과적인 방법으로 인식되었을 것이다.

어쨌든 1926년 6월과 7월은 자신의 연극적 열망이 고스란히 재현된 축지소극장의 공연을 밤마다 관람하고, 생애 최초로 아무런 장애없이 창작에만 몰두할 수 있었던, 김우진 개인으로서는 가장 빛나는 시간으로 기억될 수 있는 때였다. 마지막 작품으로 기록되어 있는 「산돼지」는 바로 이 행복한 시간의 산물이다. 세계의 좌표를 찾을 수 없는 식민지 지식 청년의 절망적 내면을 그리고 있는 이 작품은 김우진 최고의 역작으로 평가되고 있으며, 그 스스로도 '자신 있게 처음으로 쓴' 이라는 표현을 쓰고 있다. 그만큼 창작에 대한 자신감에 속도가 붙어 있는 상황이었다. 자신감은 그대로 신극운동에 대한 의지로 이어진다.

새로운 극 운동이 우리에게 얼마나 간절한 생활 문제인가를 장황히 여기서 말할 필요는 없다. 누구나 다 의식적으로나 무의식적으로 생각하고 요구하며 그 이상을 추구하고 있는 까닭이다.

지금 이 방면에 뜻을 같이 하는 이들에게 어떻게 하면 결과 있게, 힘 있게 해 나갈 수 있을 것인가 熟慮하기를 희망하는 동시에 우리끼리 토

신극운동의 첫 문을 열다 : 김우진 187

의한 결과를 우리대로 여기에 적어 보고자 하는 바이다.

― 「우리 신극운동의 첫 길」(조선일보, 1926. 7. 25~8. 2)

홍해성과 공동집필하여 연재한 글 서두 부분이다. 두 사람의 신념과 의지가 행간들에서 고스란히 배어져 나오고 있다. 일주일에 걸친 주장은 명료하다. 현재 조선에서 가장 시급한 것은 서구의 근대극을 소화할 만한 수준의 관객을 양성해야 한다는 것. 그렇지 않으면 신파 취향의 관객들의 취향을 좇는 '토월회'급으로 떨어져버릴 수밖에 없다는 것이다. 실제로 당시 토월회의 공연들은 이미 대중추수주의로 퇴행하고 있던 상황이었다.

그렇다면 어떻게 양질의 관객을 양성할 수 있을 것인가. 소극장식과 회원제 운영이 그들이 내놓은 해답이다. 이 회원제 방안은 1930년대 프롤레타리아 연극 운동의 '드라마 리그(drama league)'나 1930년대 '극예술연구회'의 관객 획득 방안으로 제기되기도 하는 것으로 1920년대 당시로서는 대단히 획기적이면서도 현실적인 방안이었다.

그러나 이 혁신적 방안은 안타깝게도 현실화되지 못한다. 김우진을 살아있게 했던 창작과 신극 운동, 이것들을 향한 모든 꿈들이 무너진 것은 이 글의 연재가 끝난 이틀 뒤인 1926년 8월 4일이었다.

5. '최초'라는 수식어가 감당해야 할 것들

군은 군의 말맛다나 「마음의 고통이 대단할 때에는 내 살을 내가 씹고 십허」라고 할 만큼 괴로던 모양이다. 그러나 군은 죽어라 하고 참엇던 모양이다. ― 조명희, 「金水山君을 懷함」(『조선지광』, 1927.9)

그의 죽음을 어떻게 말할 수 있을까. '여가수와 청년문사의 투신 정사'? 당시 누구나 알 만한 화제의 여가수가 정부와 현해탄에 투신했다는 사건은 세간의 흥미를 끌기에 충분한 것이었고, 약속이나 한 듯 조선의 신문이란 신문은 십 여일 이상 도배질되다시피 했다. 그 내용들은 김우진이 짧은 전 생애를 바쳐 싸웠던 신파 그 이상도 이하도 아니었다. 그가 산 생애의 몇 배의 시간이 흐른 지금도 두 사람의 죽음은 늘 하나로 묶여 똑같은 방식으로 기억되고 있다.

그들이 과연 사랑하는 사이였는지, 단지 친밀한 동지적 관계였는지, 무슨 이유로 동반자살했는지, 아니면 자살이 아닌지 이 자리에서 따질 필요는 없다. 단지, 그 선정적 가십거리에 김우진이라는 이름을 묻어버리기에는 1920년대 연극 불모지의 땅에서 근대극의 꽃을 피워보고자 한, 그의 열정이 너무 눈부시다는 것이다. 그리고 자신의 살을 씹고 싶을 정도의 고통을 견디어내야 했던 한 청년의 영혼의 울림이 너무 깊다.

창극이라는 전통연희가 한쪽에 서 있고, 일본적 신파극이 조선의 중심을 치고 있던 때 희곡은 말 그대로 아마추어들의 난장이었고, 때문에 문학 장르로서조차 대우받을 수가 없던 상황에서 유일하게 근대극을 말할 수 있었던 자가 김우진이었다. 때문에 불과 2년 정도의 기간에 5편의 희곡밖에 남기지 않았음에도 불구하고 한국 희곡사에서 그에게 달린 수식어는 결코 가볍지가 않다. '20년대 최고의 연극인인 동시에 선구적 지식인', '신파극 시대에 최초로 나타난 혜성', '최초로 서구 근대극을 제대로 연구하고 영향 받은 작가로서 본격적인 극대극을 쓴 작가' 등. 김우진 자신뿐만 아니라 그의 작품들 또한 '최초의 사실주의극', '최초의 근대극', '최초의 표현주의극' 등 대부분 '최초' 라는 꼬리표를 달고 있다.

김우진에게 달린 이 '최초' 라는 수식어가 풍성하다는 것은 역설적으로 작가로서 그가 감당해야 했을 조선의 척박함이 얼마나 강했을 것인가를 설명해준다. 또 한편으로 그것은 견고한 땅덩어리에 씹어낸 자신의 살을 하나씩 심어 근대극을 뿌리내리게 했던 한 영혼의 고통스런 울림에 대한 답이기도 하다. 그리고 이것이 어설픈 가십으로 그의 이름을 덮어서는 안 될 이유이다.

채만식 소설의 식민지 근대성

김현정*

1. 들어가는 말

우리 근대 문학에는 근대 문물의 집산지라 할 수 있는 도시 속에서 살아가는 근대인의 다양한 양상들이 드러난다. 그 중에서도 근대라는 시대적 흐름 가운데 분명 문명의 혜택을 입고 있지만, 어딘지 모르게 어색하고 초라해 보일 수밖에 없는 인물들의 모습은 식민지 시대 근대 문학 속에서 자주 목격할 수 있다. 채만식 소설도 그와 다를 바 없다. 채만식 소설에서는 겉사람은 분명 근대인의 모습을 띠고 있지만, 속사람은 근대인도 아닌, 그렇다고 전근대인도 아닌 중간자적 입장에서 늘 갈등하는 인물들로 가득차 있다. 끊임없는 갈등과 모순된 사고 방식이 이들 인물들을 지배한다.

이처럼 채만식을 비롯한 다른 근대 작가들의 작품들 속에 근대와 전근대 사이에서 겪게 되는 갈등과 모순된 상황이 나타날 수밖에 없는 것은 식민지라는 특수한 조건을 고려할 때에야 비로소 이해 가능하다. 한국의 근

---

* 전남대 국문과 박사 과정

대를 이해할 때 가장 큰 논란이 되어 왔던 것은 바로 근대성과 식민지성의 문제였다. 기존에는 식민지 상황에서는 근대라는 개념을 찾기 어렵다는 견해와 식민지 상황에서도 근대가 싹을 틔웠다는 견해가 지배적이었지만, 최근에는 근대성과 식민지성은 불가분의 관계 속에서 서로 얽혀 있다고 보는 견해[1]도 나오고 있다. 실제로 우리의 경우만큼은 준비되지 않은 상태에서 일본 제국주의에 의해 갑작스럽게 근대 문물을 받아들였고, 이로 인해 서구 강대국의 보편적 근대성이 아닌 식민지적 근대성의 성격을 강하게 지니고 있다 할 수 있다. '식민지가 근대의 실험장'[2]이라고 표현하는 논자의 말도 과언은 아닐 것이다. 그러기에 채만식 문학을 살펴보면, 근대 속에서 살아가는 인물들의 모습은 어딘지 모르게 주체성을 찾을 수 없으며 늘 방황하고, 근대와 전근대 사이에서 갈등을 겪는다.

2. 기형적인 식민지 근대화

식민주의와 근대화에 대해 많은 논자들의 다양한 의견들이 있어 왔지만, 그 중에서 대표적인 것은 '식민지 수탈론'과 '식민지 근대화론'이 있다. 식민지 수탈론의 경우, 조선 후기 때부터 우리나라에는 근대화의 조짐이 드러나기 시작했지만 일본의 침략으로 인해 자주적 근대화의 길이 좌절되고 억압되었다는 입장이다. 반면 식민지 근대화론은 우리나라가 식민지 시기에 근대화를 경험하고 성장하는 계기가 되었으며, 당시 피지배국

---

1) 김진균·정근식, 「식민지 체제와 근대적 규율」, 『근대 주체와 식민지 규율권력』, 문화과학사, 1997.
2) 이경덕 역, 『오리엔탈리즘을 넘어서』, 이산, 1997.

가로서 겪어야 했던 고통은 근대화로 가기 위한 하나의 진통이라고 본다.[3] 그러나 최근의 탈식민주의론이 등장하면서, 왜곡되면서 변형된 근대성의 면모를 면밀히 살펴보는 계기가 되었다. 비서구적 국가 가운데 최초로 제국주의 국가로 나선 일본의 경우, 근대화 기획으로서 여러 식민주의 정책을 펼치게 된다.

이런 상황 속에서 일제의 전략을 통해 근대화로 급변모한 우리나라의 모습은 일부 지식인들의 시선에는 부정적으로 보일 수밖에 없다. 채만식도 그 중의 한 사람이다. 채만식의 소설 「그 뒤로」에서는 경성의 근대화된 모습이 나타나 있는데, 작가는 이러한 근대화에 대해 '기형적 모던화'라는 용어를 사용해 가며 근대에 대한 부정적 시각을 직접적으로 드러낸다.

> 다만 이번이 사 년—칠 년이었으나 삼 년은 감형이 되었다. 사 년이
> 라는 비교적 긴 동안이었기 때문에 그 동안 변천된 경성의 면모가 현저
> 하게 그의 눈에 띄었다.
> 타일 입힌 여러 층 벽돌집, 디파아트먼트, 빌딩일, 류미네이션, 쇼
> 우—윈도우, 그리고 여객 수송 비행기, 버스, 허리가 늘씬하게 호미같이
> 날쌔어 보이는 뾰키 전차, 수가 버쩍 늘고 최하가 시보레로 된 자동차,
> 꽤 자주 들리는 갖가지의 사이렌…의 모든 것이 제법 규모가 큰 도회미
> 와 분잡한 기계미를 띠우려는 기색이 보였다.
> P는 마치 시골 사람처럼 두리번 두리번 하면서 발길은 저절로 동편
> 으로 향하였다.

3) 이윤미, 「식민지 교육의 연속성에 대한 관점과 식민주의의 '근대성'에 대한 논의」, 『한국교육사학』제26권, 2004, pp.196-197.

"한 사 년 동안 딴 세상에게 살고 오더니 아주 시골 사람이 되었네 그려?"하고 웃었다.

P도 따라 웃었다.

"허허 그런게 아닐세, 자네는 그 공기 속에서 살았으니까 분명허게 의식을 못했는지 모르겠네만 내가 보기에는 서울도 인제는 꽤 모던화를 해가는게 선뜻 눈에 띄우네."

"기형적 모던화 말이지……?"

"응 그래. 기형적이야……. 그렇지만 기형적은 기형적이면서 그것이 조선으로서는 필연이겠지."

"세 살 먹은 어린 것이 성적 기능을 가지는 것이 필연은 필연인 것처럼……."

"허허허허 너무 지독한 걸…… 그것보다는 바다에 바람이 불어 큰 물결이 일어나면 해변 얕은 데도 따라 물결이 일어난다구 하는 것이 필연인 것처럼…이라는 게 점잖허네."[4]

채만식은 '세 살 먹은 어린 아이가 성적 기능을 가지는' 것이라고 표현할 정도로 당시 우리나라의 근대화를 기형적인 근대화로 보면서도 한편으로는 세계 정세 속에서 거스를 수 없는 변화의 한 물결로 바라볼 수밖에 없음을 인식하고 있다.

채만식은 「허허 망신했군」이나, 「화물자동차」를 통해 보다 구체적으로 근대화로 변모되는 과정을 서술해 낸다.

---

4) 채만식, 「그 뒤로」, 『현대한국단편문학전집 채만식 편』(문원각, 1974), p.38.

나도 동편 쪽 상점 앞으로 다가서서 마른 곳을 밟아 가느라니까 바로 앞에서 십 칠세 쯤 되는 모던 거얼 하나가 역시 댄서 흉내를 내는 것처럼 걸음마를 하고 온다. 단발은 않고 레이키스트 스타일의 낙타색 오우버를 쿨럭쿨럭하게 입고 역시 오우버 빛과 같은 실크 양말과 굽 높은 구두를 신고(덧구두가 없는 것이 유감이다) 화장은 오십 %, 귀는 육십 %를 가리고 손에는 변호사 가방의 새만한 가방을 들고…

이만할 모던거얼이니 인쇄잉크와 기름에 새까매지고 시뻥을 찬 한 마리의 인쇄 직공의 존재 같은 것은 주의할 여유도 없을 터이다.[5]

「허허 망신했군」에서는 작중 화자가 비 오는 날 질펀해진 길에서 넘어질 뻔한 모던 걸을 도와주려다가 오히려 모던 걸에게 추근거린다고 망신을 당하자, 이왕 망신당할 바에야 키스나 톡톡히 할 걸 하고 후회하는 에피소드를 다룬 콩트이다. 이 작품에서는 신식 열풍 속에 겉차림만 요란하게 꾸민 모던걸이 희화화되어 그려져 있는데, 당대 모던 걸의 차림새를 짐작할 수 있는 부분이기도 하다.

다음 예문은 「화물자동차」의 한 부분이다.

조선에서 쌀이 많이 나기로 이천과 겨루는 K항구에 자본금 십이만 원의 주식회사로 된 S자동차부가 생겼다. (중략) S자동차부의 영업은 불경기가 무엇인지도 모르고 번창을 하고 이렇게 영업이 번창함에 영업 범위를 확장하여 화물 자동차까지 사들이어 시내는 물론이요, 이미 얻은 승객 자동차 선로에 화물 자동차까지 운반하게 되었다.

---

5) 채만식, 「허허 망신했군」, 『현대한국단편문학전집 채만식 편』(문원각, 1974), p.45.

이 S자동차부에서 화물 자동차를 사들인지 바로 얼마되지 아니하여 K항구와 R사이에 삼등 도로의 신설 공사가 시작되었다.(중략)

지금은 R에게는 구루마군이 몇이 없다. 화물 자동차가 다니지 아니하는 곳과 적다고 버려 두는 짐을 실어 먹되 그저 부업으로 하는 한 사람이 있을 뿐이다. 그리고 다른 사람들은 K항구에 가서 노동을 하고 있다.

새벽잠이 어렴풋이 깨었을 때 삐걱삐걱하며 기운차게 소 모는 소리와 저녁 어스름이 들을 때 저편 동구 밖에서 빈 구루마에 올라앉아 소 목에서 흔들리는 요령을 장단삼아 콧노래를 부르며 돌아오는 구루마군들의 자취는 영영 사라지고 말았다.[6)]

채만식은 「화물자동차」에서 군산으로 추정되는 한 도시의 변모를 비교적 짧은 문장을 사용해 가치중립적으로 서술해 나간다. 그러나 S자동차부의 독과점을 '맨처음 끔찍한 일을 시작하였으니'로 서술하는데, 이것을 통해 볼 때 작가는 그러한 변화를 부정적으로 인식하고 있음을 알 수 있다. 도시 형성에 있어서 중요한 교통의 발달이 우리나라에서는 쌀 수탈의 수단으로 쓰이는 상황에서, 전통적인 운송 수단이었던 구루마꾼들의 몰락은 의미심장할 수밖에 없다. 도로가 들어서면서 구루마꾼이 사라졌다는 점은 발전의 한 과정임에는 분명하다. 그러나 그 공간이 일제 강점과 수탈의 주요 수단으로 쓰였다는 점은 언급할 필요가 있다. 일본 제국주의가 조선이라는 식민지에 새롭게 시도했던 근대적인 변화는 '발전'이라는 이름으로 제국주의를 공고히 하려 했던 것이다. 그러기에 작가는 화물 자동차

6) 채만식, 「화물자동차」, 『현대한국단편문학전집 채만식 편』(문원각, 1974), p.79~83.

가 달리는 모습보다는 '기운차게 소모는 소리'와 '쇠목에서 흔들리는 요령을 장단삼아 콧노래를 부르'는 소리가 사라진 풍경을 애상적으로 그려낸다.

근대적인 사고 방식으로 볼 때, 시간은 과거에서 현재를 거쳐 미래로 나아가는 직선적 시간으로 이루어져 있다. 따라서 끊임없이 발전을 향해 가는 미래로 나아가야만 한다. 그런데 이러한 근대적 시간 인식은 우리의 순환적인 전통적 시간관이 아닌, 서구 문물을 받아들인 일본 제국주의에 의해 강제적으로 주어진 것이다. 따라서 식민지를 바탕으로 발전을 꾀하고자 하는 서구 열강을 비롯한 일본 제국주의적인 담론 속에 얽매여 있는 것이라 할 수 있다.

이런 점에서 「명일」 역시 내일을 꿈꾸지만, 내일보다는 현재조차도 생각할 수 없는 조선인들의 현실이 잘 드러나 있는 것이다. 「명일」에서 나오는 문간방 색시는 시골에서 농사일을 하다가 살 수가 없다고 서울로 올라오지만 서울 역시 먹고살기 어렵다는 것을 알고 다시 시골로 내려가기를 바란다.

또한 「명일」에서는 한 공간 속에 없는 자와 가진 자의 극단적인 대립이 드러난다. 범수가 굶주림으로 도시를 배회할 때, P는 술집에서 돈을 펑펑 쓴다. 또한 범수의 아내는 바느질로 겨우 입에 풀칠을 하며 살지만, 범수의 아내에게 바느질을 맡기는 싸전댁은 이백 원이나 되는 패물을 손가락에다 끼워두고 놀려도 될 만큼 충분히 먹고 살 만하다. 이처럼 도시라는 공간은 자본의 유무로 인해 계층이 나눠지며, 이러한 두 계층이 함께 공존하는 곳이다.

이와 같이 식민지 조선의 모습은 일제에 의한 여러 문명의 도입으로 인해 외양은 화려한 근대의 옷을 입게 된다. 그러나 갑작스런 근대 물결의 흐름으로 인해 근대와 전근대적 양상이 함께 공존하는 이중적인 모습을 보이게 되고, 무엇보다도 식민 지배의 수단으로서 근대 문명이 이용됨에 따라 조선의 근대화는 기형적인 모습을 지니게 되는 것이다.

3. 근대 교육을 향한 욕망과 좌절

일제는 조선의 근대화와 식민지화를 공고히 하기 위해 여러 정책을 펼치는데 그 중의 하나가 바로 교육의 확대이다. 이러한 식민지 시기의 교육이란 일본과 서구 기준의 문명화로 나아가기 위한 것이며, 동시에 식민지 국가로서 일본과 동화되기 위한 수단으로 작용한다. 물론 자생적인 우리 민족 내부의 교육에 대한 열망 또한 작용했지만, 조선인에 대한 교육 기회가 일본인에 비해 제한되어 있으며 차별을 받을 수밖에 없었다는 점에서 우리 민족의 자생적인 교육에 대한 열망은 큰 빛을 얻지 못했음을 짐작할 만하다.

근대는 더 이상 태생적 신분에 의해 신분이 구별되는 시대가 아니다. 자본주의 질서 하에서 자본 유무에 따라 사회적 신분이 결정될 여지가 많아진다. 그리고 자본주의 체제 안에 들어가기 위해서는 '자본', 즉 돈을 벌 수 있는 능력을 지녀야 하는데, 그 수단이 바로 교육이다.

일제 시대 보통학교에서 이루어지는 교육에는 일제의 '교육실제화' 정책을 통한 실용적인 내용이 강조된다. 그러나 당대 조선인들이 요구했던 학문의 내용은 일제가 강조하고자 했던 실용적인 학문이 아니라, 과거 양반 계층이 향유했던 유교적 지식과 교양에 관한 것이었다. 이처럼 식민지 보통학교는 조선인의 교육관과 일제의 교육관의 상이함으로 갈등을 겪을

수밖에 없는 공간이기도 하다.[7]

이런 갈등 속에 조선인들은 근대화가 되면서 과거 양반 계층만이 향유할 수 있었던 교육의 기회를 놓치려 하지 않았으며, 채만식 역시 조선인들의 교육열에 대한 높은 인식을 작품 곳곳에 배치하고 있다. 그러나 채만식이 작품을 통해 보다 강조하고자 하는 것은 식민지 하에서 조선인의 교육이란 것이 무의미하다는 점이다. 당시에 수많은 지식인들이 극심한 실업난을 겪고 무력해 질 수밖에 없는 이유는 본인들이 사회에 뛰어들 준비가 안 된 탓이라든지, 당대의 극심한 세계 공항 등으로 인한 탓도 있다. 그러나 채만식은 그런 이유보다도 일제의 교육정책과 고용정책의 부재 및 지식인 자신들의 맹목적인 향학열에 있다고 본다.[8]

1930년대에 들어 일제의 통치는 무단 정책에서 문화 정책으로 전환하게 된다. 이를 계기로 잡지 발간이나 교육의 기회를 확대하는 등의 정책을 펼친다. 그러나 이러한 정책은 비판적인 젊은이들을 정신적 무국적주의자로 전락시키고 독립의지를 말살하여 식민정책에 순응하는 기능적인 지식인을 양성하고자 하는 목적이 크다.[9]

「이런 남매」에서는 일제 시대 교사로 있는 영섭을 통해 일제 시대 교육의 내용이 단편적으로 나타나 있다.

점심을 먹은 아이들은 하나씩 둘씩 다아 빠져나가고, 어느 새 월사금 못 낸 아이 셋만 넓은 교실 안에 듬성듬성 떨어져 앉았다. 전반의 아이들에게 대면 어레미를 쳤어도 그렇게 잘 골라 내기가 어려울만치 얼

7) 오성철, 「식민지 교육 연구 잡감」, 『한국 근대성 연구의 길을 묻다』(돌베개, 2006), p.154.
8) 권혁준, 「채만식 문학 연구」, 성균관대학교 대학원 박사학위논문, 2000, p.21.
9) 김진석, 「채만식 소설연구」, 『청주사범대논문집』제20권, 1987. p.8.

굴의 영양이며 옷 입음새가 초라한 아이들이다.

　영섭은 늦게 시작한 벤또오를 먹는 채 네 아이를 교탁 앞으로 가까이 불러 앉힌다. 선생 앞에 바싹 와서 앉는 아이들은 더욱 고개가 깊이 숙는다.

　"물어보나마나, 다아 없으니깐 제때 못 내는것이겠지만 응……."

　영섭은 염소 똥같이 새까만 콩자반을 날름날름 서너번 집어다 먹으면서

　"…… 그렇더래두 월사금 하나만은 제 달 제 달 바쳐야 하지 않나? 응? 많은 것두 아니고, 이 학교의 생도가 된 이상 월사금을 바치는건 그 생도된 의무니까…… 응? 사람이 그렇게들 의무를 잘 실행하지 못해서야 쓰나? 자라서는 국민이 된 의무로 나라에 납세를 바치는게 의무고 응? 그런 걸 다아 알기는 알지?"

　네 아이는 둘이만 목안엣 소리로 분명찮게 대답을 한다.

　"물론 늬들한테만 책임이 있다는 건 아냐…… 오히려 부모네가 잘못이지……아무리 가난하기루서니 자녀를 학교에 보낸 이상, 어떻게 해서던지 월사금을 내두룩 해야 할 텐데, 일반으로 조선 사람들은 아직까지도 책임 관념, 즉 의무 관념이 빈약해! 대단히 재미 없는 일이야……."[10]

　위의 예문은 교사로 있는 영섭이 월사금을 안 낸 학생들을 훈계하는 장면이다. 점심조차 굶을 수밖에 없는 학생들 앞에서 도시락을 먹어가며 훈계하는 내용을 살펴보면, 조선인들의 무책임함을 비난하며 납세를 비롯한

---

10) 채만식, 「이런 남매」, 『현대한국단편문학전집 채만식 편』(문원각, 1974), p.223.

국민의 의무 등을 강조하지만, 이는 결국 식민지 조선인이 일본 신민으로서 지켜야 할 의무이다.

채만식은 특히 지식인을 사회 풍조에 떠밀린 희생자의 부류로 본다. 그들은 향학열을 고무시키는 풍조에 휩쓸려 뚜렷한 목적의식이나 역사의식 없이 공부를 했던 까닭에 어렵게 학교를 마치고도 일자리를 구하지 못한 채 무력한 '문화 예비군'으로 전락한다.

> "괜한 객기를 부리지 말어요… 있는 땅까지 팔아서 머리 속에다 학문만 처쟁였으니 그게 무어야? 씌어먹을 수도 씌어먹을 데도 없는 놈의 세상에서 공부를 했으니 그게 무어란 마리야? 좀먹은 책장허구 무엇이 달러?"[11](밑줄 필자)

> "우리가 시방 공부를 한다는 것이 그렇게 일 원 가진 놈이 일 원을 넣어 두려고 일 원을 다 주구 지갑을 사는 셈이야."
> "어째서?"
> "지갑을 쓸 데가 있어야지?"
> "두었다가 돈 생기면 넣지?"
> "그 두었다가ㅡ가 문제거든… 그 지갑에 돈이 또 생겨서 넣게 될 세상은 우리는 구경도 못해… 알겠우?"[12](밑줄 필자)

---

11) 채만식, 「명일」, 『현대한국단편문학전집 채만식 편』(문원각, 1974), p.41.
12) 앞의 책, p.44.

"노동자 농민들에게는 조선 문화의 향상이나 민족적 발전이나가 도리어 무거운 짐을 지워 주었을지언정 덜어 주지는 아니하였다. 그들은 배[梨] 주고 속 얻어먹은 셈이다. 인텔리 … 인텔리 중에도 아무런 손끝의 기술이 없이 대학이나 전문학교의 졸업증서 한 장을, 또는 조그마한 보통 상식을 가진 직업 없는 인텔리 … 해마다 천여 명씩 늘어가는 인텔리…

부르조아지의 모든 기관이 포화상태가 되어 더 수효가 아니 느니 그들은 결국 꾀임을 받아 나무에 올라갔다가 흔들리우는 셈이다. <u>개 밥의 도토리다.</u>

인텔리가 아니었으면 차라리 (…) 노동자가 되었을 것인데 인텔리인지라 그속에는 들어갔다가도 도로 달아나오는 것이 99%다. 그 나머지는 모두 어깨가 축 처진 무직 인텔리요 무력한 문화 예비군 속에서 푸른 한숨만 쉬는 <u>초상집의 주인 없는 개들</u>이다. 레디메이드 인생이다.[13](밑줄 필자)

위의 예문들을 살펴보면, 채만식은 당시의 지식인들을 '좀 먹은 책장', '개 밥의 도토리'요, '레디메이드 인생'이라 명명한다. 공부를 한다는 것은 마치 '일 원 가진 놈이 일 원을 넣어두려고 일 원으로 지갑을 사지만, 지갑에 돈이 생겨 넣게 될 세상은 구경조차 못하는 것'이라고 표현하는 것은 작가가 당대 지식인들이 처한 상황을 어느 정도로 부정적으로 보고 있는지를 극명하게 보여준다.

---

13) 채만식, 「레디 메이드 인생」, 『현대한국단편문학전집 채만식 편』(문원각, 1974), p.20.

"물론 S군 생각에는 왜 너는 네가 먼점 노동자 속으로 들어가야 옳을 일인데 괜히 너는 편하게 붓대를 가지구 놀면서 너와는 딴판인 날더러 가라느냐… 이처럼 불쾌하게 여기기두 쉽겠지만 나두 실상 이 잡지가 다른 보통 잡지라면 지금이라두 다 내던지구 공장이나 일판으로 가겠소만… 그러나 저러나 이 잡지사두 형편이 아마 얼마 가지 못할 눈치니까 오래잖아서 나두 그렇게 되겠지."

　S는 아무리 하여도 P의 의견을 찬성할 수가 없었다. 그는 속으로 항의하였다.

　"노동? 괴롭고도 천한 그짓을? 내가? 연애―누군지 모르나 어데선지 지금 나를 기다리는 듯 곱게 있을 미지의 애인은 어떻게 하고? 그러고 돈 많은 호화로운 생활은 어떻게 하고? 이 고운 손이 고운 얼굴이 노동판에 가서 썩어? 안될 말이다."[14]

　한 편으로는 당장 지식을 써먹을 수 없고 생계를 이어갈 수 없는 상황에서 단지 교육을 받았다는 일종의 자부심으로 인해 노동일은 거부하고, 배우자의 조건을 따져가는 모습은 과히 기형적이라면 기형적일 수밖에는 없는 것이다.

14) 채만식, 「앙탈」, 『현대한국단편문학전집 채만식 편』(문원각, 1974), p.55.

4. 도시적 공간의 부정성

서구적 근대라는 것은 단선적인 역사발전론을 정당화하고 '계몽'이라는 이름으로 식민 지배를 정당화한다. 그로 인해 왜곡되고 변질되어버린 근대의 이면이 존재한다. 앞서 살펴본 바와 같이 채만식은 일제 식민지 하의 근대성에 대해 부정적인 입장을 지니고 있었기 때문에, 그의 작품에는 근대로 인해 도시적 공간이 변질되어 가는 모습들이 구체적으로 드러난다.

「동화」와 「병이 낫거든」은 연작 소설이다. 이 두 소설의 경우, 가난한 농촌 처녀 업순이가 돈을 벌겠다는 희망으로 방직 공장에 취직하는 이야기가 「동화」이며, 「병이 낫거든」은 방직 공장에 취직한 업순이가 그 후 도시에서 열심히 공장 일을 하지만 돈도 모으지 못한 채 폐결핵에 걸려 고향으로 돌아오게 된다는 이야기다. 농촌 처녀인 업순이가 도시로 가게 된 배경에는 업순이가 교육을 받았다보니, 배우자감으로 소위 자격자를 고르지 못해 걱정하던 차에 우선 공장일이라도 보내려는 부모의 심정 때문이었다.

> 에미 애비는 개명을 못했을망정, 시쳇속으로 어디 네나 그 개명을 좀 해보라고(귀염삼아) 집안 사세 부치는 것도 상관 않고 읍내의 보통학교에 들여 보내서, 여섯 해 동안 학교 공부를 시켜냈었다.
>
> 하나, 막상 그렇게 학교 공부를 시켜 놓고 보아도 이렇달 무슨, 수는 없고 촌 논투성이의 계집애 자식이었지 별것이 아니었다.
>
> 자 그리고 보니, 인제는 동네 떠꺼머리총각이나마 데릴사위라도 정하잔즉 실없이 눈에 차지가 않고, 그렇다고 '자격자'를 골라서 혼인을 하잔즉 짜장 지체도 없으려니와 가랑이가 찢어지게 가난한 탓수에 도

무지 가량 없는 소망이고 해서, 일이 대단히 허무하고도 맹랑하게끔 되었었다.[15]

채만식은 농촌을 '동화'의 세계로 보고 있으며, 공장이 있는 도시는 동화 밖의 세계, 곧 현실 세계로 설정한다. '동화' 속의 인물인 업순은 현실 세계에서 나름대로의 희망을 가지고 살아가나 결국 현실에서 패배할 수밖에 없다. 「병이 낫거든」이라는 제목이 암시하듯이, 업순이의 병은 나을 수 없으며, '동화'에서 꿈꿨던 희망들은 현실에서 물거품에 불과함을 보여준다. "거 전주란 땅이 물이 고약한 법이거든."[16]라는 한의사의 말 역시 도시화되는 전주를 부정적인 시선으로 바라보고 있음을 보여준다.

「산동이」에서는 전날에 순천부사를 지냈던 김상준이 서울로 올라와 여색을 탐하는 이야기가 그려져 있다. '안동 아방궁'이라는 별명을 들을 정도로 크고 화려한 집을 지어놓고 '기생, 남의 집 숫처녀, 여학생 찌꺼기, 여배우붙이' 등 당대 근대 도시에서 볼 수 있는 여성 부류들을 첩으로 거느리며 여색을 탐한다. 그러다 자신의 종인 산동이와 혼인을 시켜주겠다고 약속했던 옥섬이를 겁탈하기에 이른다.

김상준이 순천과 자신의 고향인 정읍을 떠나 서울로 이주할 때에, 그의 아들과 본처는 정읍에 있는 농장을 관리하게끔 하고 자신만 올라온 점은 주목할 만하다. 이는 근대화가 되면서 도시라는 공간이 형성되고 발전되기까지는 도시의 자본을 바탕으로 한 비도시적 공간의 인력과 소출이 밑바탕이 되었음을 암시하는 부분이다. 또한 근대화된 공간이라면 기존의

15) 채만식, 「병이 낫거든」, 『현대한국단편문학전집 채만식 편』(문원각, 1974), p.103.
16) 위의 책, p.111.

신분 체제가 와해되어야 함에도 불구하고, 갑작스런 근대화를 맞게 된 우리의 현실 속에서는 기존의 신분 체제 속에서 이미 자본을 획득했던 지배 계층이 다시 새로운 근대 공간 속에서도 그대로 지배 계층으로 자리 잡을 수밖에 없음을 보여준다. 전근대적 사회에서 지배층에 있었던 인물은 근대화가 되면서 근대화의 자본 혜택을 그대로 누리면서도, 신분 체제라는 부정적 양식은 놓치려 하지 않기 때문에 피지배계층은 계속적으로 자본의 지배하에 피지배계층으로 남게 되는 것이다.

「얼어 죽은 모나리자」의 금출이는 부산 방적 공장과 일본 오사까 방적 공장을 다니면서 신식 문물을 받아들이되 허영만 잔뜩 든 젊은이다. 잠시 고향이 그리워 왔다는 그는 신식 문물을 받아들인 것에 대해 자부심을 갖고 있으며, 무엇보다 고향 처녀들 역시 그가 도시 바람을 쐬었다는 것만으로도 선망의 대상으로 삼는다. 오목이도 그런 금출이를 연모하다가 결국 금출이에게 겁탈당하고 버림받지만, 끝까지 금출이를 그리워하다 얼어 죽게 된다. 작가는 도시인의 생활을 잠시나마 누렸던 금출이의 부정적인 행동을 통해 도시의 부정성을 간접적으로 드러낸다. 금출이는 나름대로 부산과 일본에서 공장을 다니며 돈을 벌었다고는 하지만 정작 벌어놓은 돈은 없고, 돈이 생겼다하면 노름으로 낭비해 버린다. 물론 이런 면은 개인의 한 특성이라고 치부할 수도 있겠지만, 도시라는 공간이 소비의 공간이라는 점을 주목한다면 도시 공간의 부정성을 고려할 수밖에 없다.

그런 점에서 채만식은 근대적인 공간보다는 전근대적인 공간에 대한 아련한 향수를 간직하고 있는 듯하다. 「두 순정」의 경우 스물한 살 색시와 열두 살 새서방의 순정을 그린 작품이다. 당시 소설 같으면 보통 조혼 제도에 대한 비판적인 시선이 담겨 있을 법하지만, 이 소설에서는 오히려 누이와 어린 동생과도 같은 두 부부의 애틋한 순정을 그려내고 있다.

이와 같이 채만식의 관심은 주로 타락한 도시에 있으며, 비도시를 다루더라도 그것은 도시로 인해 변질되어가는 공간이나, 근대의 영향을 받지 않은 순수한 상태의 공간으로 그려진다. 특히 서울과 같은 대도시 못지않게 농민들이 도시로 떠나기 위한 중간 거점지라 할 수 있는 군산과 같은 중소 도시의 변해가는 모습을 잘 그려내고 있다.

5. 나가는 말

식민지 시대 지식인의 한 사람으로서 살아가야 했던 채만식이 겪어야 했던 갈등은 고스란히 그의 작품 속에 담겨 있다. '레디메이드 인생'으로서 살아갈 수밖에 없었던 자신의 삶에 대한 한 인식은 곧 당시 지식인들의 상황을 대변한다고 볼 수 있다. 이러한 당대의 모습은 채만식의 눈에는 기형적 모던화로 보일 수밖에 없었던 것이다. 채만식은 도시적 공간 자체에 대한 관심보다도 도시적 공간에서 근대화의 영향을 받은 사람들이 비도시적 공간으로 왔을 때, 이들이 비도시적 공간에 사는 이들에게 부정적인 영향을 미치는 현상들에 대해서도 관심을 갖는다. 이와 같이 채만식은 근대화된 도시 공간 속에서 근대화의 물결에 휩쓸리지 않고, 식민지 조선인으로서의 주체성을 가지려 했음을 그의 작품 속에서 살펴 볼 수 있었다.

▌▌▌▌ 참고문헌

권혁준, 「채만식 문학 연구」, 성균관대학교 대학원 박사학위논문, 2000.

김진균·정근식, 「식민지 체제와 근대적 규율」, 『근대 주체와 식민지 규율권력』,
　　　　문화과학사, 1997.

김진석, 「채만식 소설연구」, 『청주사범대논문집』제20권, 1987.

오성철, 「식민지 교육 연구 잡감」, 『한국 근대성 연구의 길을 묻다』,
　　　　돌베개, 2006.

이경덕 역, 『오리엔탈리즘을 넘어서』, 이산, 1997.

이윤미, 「식민지 교육의 연속성에 대한 관점과 식민주의의
　　　　'근대성'에 대한 논의」, 『한국교육사학』제26권, 2004.

채만식, 『현대한국단편문학전집 채만식 편』, 문원각, 1974.

채만식 소설의 고개 숙인 지식인들

- 1930년대 소설을 중심으로

최창근*

1. 머리말

한국 문학이 힘겨운 시련기를 보냈던 1930년대에 채만식은 나름의 문학적 위치를 고수하며 많은 작품을 발표했다. 또한 그의 작품이 당대 사회에 대한 비판과 풍자로 이루어져 있다는 것은 시대상황에 비추어 볼 때 그 의미가 남다르다고 할 수 있다. 30년대에 쓰여진 채만식의 소설들은 당대 사회의 현상 속에 숨어있는 제도적 모순을 파헤치고 지식인의 고뇌와 절망을 진지하게 보여주고 있다. 한편으론 현실적 무능력 앞에서 허무주의와 나르시즘에 빠진 지식인의 몰락을 통해 당대 지식인의 문제점과 위기의식을 간접적으로 보여준다는 점에서 다양한 논의거리를 던져주고 있다.

이에 이 글에서는 30년대 채만식 소설에 나타나는 사회현상의 문제점들

* 전남대 국문과 박사 수료

을 살펴보고 이 속에서 지식인들이 몰락해 가는 원인을 밝혀보고자 한다.

2. 절대적 빈곤과 대체 가치의 부재

1930년대 우리 나라는 일제말의 착취와 억압에 따른 가난과 빈곤이 전 사회를 휩쓸었던 시기이다. 군수품과 식량의 수탈은 국민을 최악의 기아 상황으로 내몰았고 사람들에겐 생존을 위해 돈과 식량만이 가장 중요하게 되었다. 이는 비단 채만식의 작품에서만 나타나는 현상이 아니다. 당대의 대표적 문인이었던 김유정이나 최서해, 이기영등의 작품이 기아에 허덕이는 민중의 삶을 주요 소재로 삼고 있다.

돈을 위해 여자는 마지막 상품인 자신의 몸을 팔고 아이들은 배고픔을 면하려 도둑질을 하는 것이 당시의 처절한 현실이었다. 매춘의 성행은 단순한 자본주의적 발전의 부산물이 아니라 굶주림과 기아가 만들어낸 생존을 위한 몸부림이다.

> 미상불 P의 포켓 속에는 아까부터 잔돈 소리가 가끔 잘랑거렸다.
> "자고 나 돈 조꼼 주고 가 응."
> "얼마나?"
> "암만도 좋아……오십전도, 아니 이십전도"
> 계집애의 말이 떨어지기도 전에 P는 불에 덴 것같이 벌떡 일어섰다. 일어서면서 그는 포켓 속에 손을 넣어 있는 대로 돈을 움켜쥐어 방바닥에 획 내던졌다. 일원짜리 지전 두 장과 백통전이 방바닥에 요란스럽게 흐트러진다.

"아따, 돈?"

내던지고는 P는 뛰어나왔다. 그의 눈에는 눈물이 고였다.[1]

유교적 가치관을 가지고 있는 여자가 정조를 상실하고 스스로 목숨을
끊는다면 일제시대의 여자는 자신의 정조를 팔아 돈을 벌고 생계를 유지
했다. 전시대의 여자들에게 요구되었던 정절의 윤리관은 물질적으로 여유
있는 삶에서나 가능한 것이었다. 배고픔 앞에서 윤리와 도덕은 한낱 장식
에 지나지 않는다.

배가 고픈 아이들은 법과 질서보다는 도둑질을 먼저 배운다. 도덕이나
정의 같은 이상들도 생존본능 앞에서 그 존재가치를 상실하게 된다. 우선
은 살아남아야 된다는 것이 지상명제였다.

종석이는 두부지게 옆으로 다 가더니 짧은 키를 발돋움해서 두부 목
판에 매어달리듯 해가지고는 겨우 두부 한 모를 집어냈다.

그는 돌아서서 뒤를 힐끔힐끔 돌아보며 훔친 두부를 반을 떼어 종태
를 주고 한편으로 볼이 째지게 밀어넣는다. 종태를 재촉해서 도망가려
허덕허덕하는데 등 뒤에서

"네끼놈우 자식들!"

하는 호통소리가 들렸다. 두부장수는 나오다가 그걸 본 것이다.[2]

---

1) 「레디메이드 인생」, 『신동아』, 1934년 5~7월 연재 (『20세기 한국소설』 5, 창작과비평, 2005, p.40
에서 인용, 이하 창비)
2) 「명일」, 『조광』, 1936년 10~12월 연재(『20세기 한국소설』 5, 창작과비평, 2005, p.40에서 인용,
이하 창비)

학교에 입학하기 전에 먼저 도둑질을 배운다는 것은 질서와 통제의 수단인 교육이 인간의 생존 앞에서 얼마나 무의미한가를 잘 보여준다. 이는 고등 교육을 받아 허위적인 윤리관과 질서의식을 습득하고 사회적 체면만을 중시하는 지식인의 그것을 넘어서는 것이었다. 「명일」에서 아버지인 범수는 금은방에서 도둑질을 하려다 소심함 때문에 실행하지 못하지만 아들인 종석은 최소한 도둑질을 시도했다. 즉 일대 다수가 경쟁하는 생존투쟁의 전쟁터에서 자신의 아버지를 넘어선 것이다.

> 그는 무어라고 아이를 나무라려다가 문득 자기가 오늘 낮에 겪던 일
> 이 선연히 눈앞에 나타나 그만 두 어깨가 축 처져버렸다.
> 그는 종석이를 흘겨보며
> "흥! 이놈의 자식 승어부(勝於父)는 했구나."
> 하고 두런거렸다. 영주도 남편이 무슨 말을 했는지 알아듣지 못했다.
>
> – 창비, p.117

채만식의 소설에서는 극도의 가난이 자주 나타난다. 「레디메이드 인생」의 P는 굶어죽지 않는 게 이상할 정도라고 스스로 한탄할 정도로 장기간의 실업 상태에 빠진 사람이고, 「명일」에서도 주인공이 금은방과 지인의 주머니에서 도둑질을 하고 싶은 욕망이 들 정도로 빈곤하다.

그리고 이 가난의 주인공들은 대부분 지식인들이다. 지식인들이 가난 앞에서 무기력해지는 이유는 물론 당장의 생계에 대한 불안 때문이기도 하지만 그 외에도 자신의 열정을 쏟을 만한 것이 없기 때문이다.

직장이 없다는 것은 빈곤한 삶과 더불어 자신의 능력을 펼칠 분출구가 없다는 의미이다. 또한 직장이 있어도 그곳은 죽음을 각오하고라도 나와

야 할 곳이었다. 사회는 지식인의 사회 진출 기회를 차단하거나 또는 사회가 원하는 것만을 하도록 강요한다. 그러므로 지식인이 실현하고자 하는 것, 지식인들이 매달리고자 하는 가치들은 그 어디에도 존재하지 않는다. 결국 지식인들은 자신의 능력을 시험할 기회를 박탈당하고 장기간의 실업 상태에서 가난과 마주하게 된다. 「패배자의 무덤」의 주인공 종택이 다니던 잡지사를 그만 두는 원인도 개인의 힘으로 어쩔 수 없는 현실을 깨달았기 때문이다.

　　쇠뿔을 바로잡다가 본즉 소가 (죽은 게 아니라) 말승냥이가 되더라는 둥, 불합리의 간접 교사를 하고 있을 수가 없다는 둥, 언뜻 암호 문자처럼 생긴 이유를 찾아가지고 남편 종택이 제법 그 때는 녹록치 않는 소장 논객으로서 어떤 잡지의 전임 필자이던 직책을 내던진 후, 집안에 칩거한 것이 작년 이월 초승……잡지사를 그만둔 이유는 그러한 것이었으나, 그를 단행한 직접 동기는 부친에게서 온 한 장의 서신이었었다.[3]

　신문과 잡지가 여론을 형성하고 여론이 민중을 선동하고 이를 다시 언론이 확대하는 악순환 속에서 지식인이 자신의 역할을 할 고리는 없다. 일반 대중이 그리고 의식 있는 지식인들까지 이 악순환의 고리 속에 존재한다는 것을 파악하고 난 후 종택은 불가항력적인 현실의 폭력을 느끼게 된다. 자신의 아버지 또한 이러한 선동에 휩쓸려 자기의 재산을 잡지사에 기부하려 하자 종택의 인내는 드디어 한계에 다다르게 된다.

---

3) 「패배자의 무덤」, 『문장』, 1939년 4월 발표, (『한국대표명작』 4, 지학사, 1985, p.90에서 인용, 이하 지학사)

현실 속에서 의지할 가치를 잃어버린 인물들은 자신들의 시선을 국외로 향한다. 그들에게 유일한 관심거리는 유럽의 급변하는 정치상황 이었다. 현실에서는 영원히 불가능하다고 생각한 정치체제가 외국의 어느 나라에서 실현되고 있다는 소식을 신문지면상에서 또는 풍문으로 접하며 그들은 자신의 허무와 좌절감을 대체하려 하였다.

프랑스의 블룸내각이 결성되었다는 소식은 무력감에 빠져 있는 지식인에게는 실현 불가능한 것의 가능이었으며 자신의 이상이 현실에서 실현될 수 있다는 헛된 믿음을 주는 사건이었다. 「명일」의 범수가 무료한 실업 상태에서도 유일하게 흥미를 가지고 있는 것이 바로 프랑스 블룸 내각의 사정이었다.

> 도서관의 무료열람실에 가서 궁금하던 신문도 뒤적거리고, 그리고
> 길로 훨훨 돌아다녀 울적한 기분도 (씻을 수 있다면) 씻어버리고 한다
> 고 하고 나오기는 나온 것이다.
> 그러나 그것은 자기기만이다. 미상불 그는 불란서에서 블룸을 수반
> 으로 조직된 인민전선 내각의 그 뒷소식-가운데도 파업단에 대한 태도
> 같은 것-은 십여 일이나 신문을 보지 못한지라 퍽 궁금하기도 했다.

> – 창비, p.72

그러나 외국의 정치 상황이 어떻게 변하든 그로인해 국내정치와 지식인의 삶이 변할 리는 없었다. 프랑스의 블룸 내각은 출구 없는 현실 속에서 지식인들이 유일하게 빠져들 수 있는 환상이며 나르시시즘이었다. 유럽이라는 이국적 정취와 혁명과 개혁이라는 몽환적 단어는 지식인들의 비판적 시각을 흐릿하게 만드는 아편이었으며 그들은 그렇게 점점 현실에서

소외되어 갔다.

3. 지식인의 몰락과 일제의 교육정책

현실에서 자신의 능력을 발휘하지 못하고 빈곤과 실업, 제도적 폭력에 지친 지식인은 이제 그 불가항력의 현실 앞에서 서서히 몰락의 길을 걷는다. 가난으로 인한 육체적 고통과 자신의 이상을 포기해야 하는 정신적 고통이 지식인을 궁지로 몰아넣는다.

우선 가난이 일차적 장애로 그들의 생존을 위협한다. 「레디메이드 인생」의 P나 「명일」의 범수 등은 하숙비도 제대로 못 내고, 언제나 굶주린 상황에서 자신의 목숨을 유지하고 살아간다.

생활을 위해 그들은 자신의 책을 팔고, 집안 물건을 맡기고, 주위 친척이나 친구들에게 돈을 빌린다. 그러나 취직이 불가능한 상황에서 이러한 행위는 임시방편에 불과하며 그들의 가난은 단기간에 해결될 기미를 보이지 않는다.

뒤를 이어 이상의 실현 불가능성이 그들을 구석으로 내몬다. 자신의 정치적 이상이나 작가적 실천에 있어 만족할 만한 성공을 거둘 수 없거나 오히려 불합리한 현실의 가치를 거들어야 하는 상황에 빠져들게 된다. 이미 세상은 거꾸로 섰고 모든 가치가 전도 되었기 때문에 그들은 전도된 사회를 위해 자신의 능력을 발휘하기를 거부한다. '목숨의 소중함 마저 전설처럼 까마득해진 시대' (「소망」)에 그 어느 것도 가치를 지니기란 불가능했다.

절망적 현실 속에서 방향을 상실한 지식인은 끝없는 현실 도피의 모습을 보인다. 현실의 상황을 잊기 위하여 그들은 자기의 내부로 파고들어간다. 다니던 신문사를 그만두고 오직 집에만 거주하며 외부와의 접촉을 끊어버린 「소망」의 남편은 의식적으로 현실과는 무관한 삶을 살아간다.

> 그이가 작년 초가을에 신문사를 그만두던 그날버틈서 인해 일 년 짝을 굴속 같은 그 건넌방에만 처박혀 누워서는, 통히 출입이라고 하는 법이 없구, 산보가 다 뭐야. 기껏해야 화동 사는 서씨라는 친구나 닷새에 한번쯤, 열흘에 한번쯤 찾아가는 게 고작이더라우.
> 그리구는 허는 일이라는 게 책 디리파기, 신문 잡지 뒤치기, 그렇잖으면 끄윽 드러누워서, 웃지도 않고, 이야기두 않구, 입 따악 봉허구서는, 맘 내켜야 겨우 마지못해 묻는 말대답이나 허구, 그리다가는 더럭 짜징이 나가지굴랑 날 몰아세기나 허구, 그럴 때만은 여전한 웅변이지. 그러니 나만 죽어날밖에.[4]

집 안에서의 칩거를 통해 남편은 스스로를 사회로부터 소외시키고 있다. 이는 아내가 짐작하는 정신이상이나 신경증이 아니라 전도된 현실에서 주체를 스스로 격리하려는 의도적인 행위인 것이다.[5]
그러나 현실 도피는 아무런 성취감을 주지 못하고 인간을 더욱 무력하게 한다. 더욱이 지식인의 경우 일종의 성취나 사회적 성공이 없는 생활은 끝없는 패배감을 불러오며 자신을 더욱 나약하게 만든다. 그러므로 그들은 현실 밖에서 자신이 도전하고 성공할 수 있는 가상의 무언가를 상정하고 이에 도전한다. 이는 니힐리즘에 빠진 지식인의 불가피한 선택일 수는

---

4) 「소망」, 『조광』, 1938년 10월 발표, (『잘난사람들』, 보고사, 1996, p.138에서 인용, 이하 보고사)
5) 장성수, 「일제말 채만식의 지식인 소설」, 『국어문학』 32, 1997, p.138.

있지만 결과적으로 현실에서의 가치를 전혀 지니지 못하는 기행이나 기벽으로 끝나는 경우가 많다. 다시 말해 오직 자기만족만을 위한 비현실적 행위의 의미를 지니게 된다.

「소망」의 남편이 한증막 같은 방에서 여름 한철을 보낸 것이나, 동복을 걸쳐 입고 종로 한복판을 활보하고 외상을 진 싸전 앞을 유유히 지나 온 것은 오로지 자기만족을 위한 행위이다.

> 속 모르는 소리 말아. 이걸 떠억 입구 이걸 푸욱 눌러 쓰구, 저 이글
> 이글한 불볕에! 어때? 온갖 인간들이 더우에 항복하는 백기 대신 최저
> 한도루다가 엷구 시언헌 옷을 입구서 그리구서두 허어덕허덕 쩔매구
> 다니는 종로 한복판에 가 당당하게 겨울옷을 입구서 처억 버티구섰는
> 맛이라니! 그게 어떻게 통쾌했는데!
>
> – 보고사, p.147

비현실적 대상에 대한 자아도취적 성공은 곧바로 현실에서의 실패를 보상하는 수단이 된다. 그리고 비현실과 현실은 이 성공을 매개로 일시적으로 연결된다. 이 유치한 성공은 그러나 당대의 지식인들이 극도의 억압된 환경 속에 놓여있으며, 그들이 얼마나 자신의 존재가치를 찾고 싶어 하는지를 증명해 보이고 있다.

> 응, 길을 피해서 돌지두 말구, 맘을 터억 놓구서, 고개를 들구서 팔
> 을 커다랗게 치면서 그 앞을 어엿하게 지내왔단 말이야, 아주 당당히.
> 그래! 그게 해방이란 거야, 해방! 해방은 유쾌한 거야!
> 사뭇 우줄거리는데 얼굴은 보니깐, 그새처럼 침울하기는 침울해두,

말소리는 애기같이 명랑하겠지!

– 보고사, p.147

찌는 듯한 무더위는 세계의 잔인한 폭력성을 나타내고 있다. 이는 「명일」에서도 반복해 나타나고 있는데 삼복의 더위는 인간이 극복하기 어려운 자연의 고통이란 점에서 불가항력적인 사회의 폭력성을 나타낸다고 할 수 있다. 결과적으로 삼복의 무더위는 일제의 식민지지배를 나타내는 은유로 읽을 수 있다.

「소망」의 남편이 삼복더위와 외상 진 싸전 주인과의 대결에서 얻은 승리는 해방의 기쁨을 가져온다. 그리고 이 해방은 일제강점기 하에서 지식인들이 바라던 조국의 해방을 의미하기도 한다. 또한 그 해방은 그저 유쾌한 것이라는 희화화된 부가가치를 갖는다.

해방을 위해 수많은 억압과 처벌을 감내할 수밖에 없었던 당대인들에게 해방은 한편으로 살을 깎는 고통을 의미하기도 한다. 그러나 이 비현실적 전투의 승리로 인한 해방은 실제의 해방으로 미끄러져 들어가고, 해방이란 단순히 유쾌한 것 그리고 적은 수고로도 얻을 수 있는 손쉬운 일로 전락한다. 민족의 독립과 해방을 바라지만 현실적으로 독립을 위한 어떠한 투쟁도 불가능한 소심한 지식인들이 할 수 있는 일이란 이처럼 사소한 투쟁의 승리 속에서 해방의 기쁨을 찾는 것이다.

가상의 적을 통해 대리만족조차 하지 못하는 지식인은 이제 원천적으로 현실의 억압을 피할 수 있는 방법을 추구한다. 이는 바로 자살이라는 극단적 선택이며 이를 통해 지식인의 몰락은 자기 존재를 부정하는 최악의 결과에 다다르게 된다.

자살을 실행하면서도 지식인은 대결과 저항의 자세를 가지고 죽음과 맞서며 자기 나름의 최후의 승리를 꿈꾼다. 「패배자의 무덤」의 종택은 자살을 하기 위해 마치 싸움을 하듯 달리는 기차에 뛰어 든다. 자신의 생명을 버리는 최후의 순간에 저항다운 저항을 해본 것이다. 그러나 일제에 대한 목숨을 건 투쟁과 자살을 시도하는 무모한 용기는 같은 가치를 지녔다고 할 수도 없고 같은 양의 용기를 필요로 하지도 않을 것이다.

> 그러나 그밤의 정밤중에 그가 아현 터널 앞에서, 막진해 나오는 제이호 급행열차를 정면으로-진기한 자살이래서 당시 신문에 게재된 그 기관차 운전수의 말이라는 것에 의하면 하릴없이 성난 짐승처럼-제 몸뚱이를 기관차에 갖다가 똑바로 들이받아 산산박살을 만들어 버렸을 줄이야 경순이 집에서 밤새도록 기다리기나 했을 따름이지 꿈엔들 생각을 했을까보냐.
>
> ― 지학사, p.98

종택에게도 세상은 가치가 전도되고 불합리가 진리가 된 모순으로 가득 찬 세계이다. 이런 세상에선 '갈릴레오 조차 지구는 돌지 않는다'(「패배자의 무덤」)고 말해야 할 정도로 지식인의 양심이 가혹한 시험을 받는다.

1930년대 지식인은 결국 자신의 무능력으로 인해 몰락의 길을 걷게 된다. 그렇다면 이러한 몰락의 원인은 어디에 있는 것일까? 그들을 그렇게 무능력하게 만든 사회적 제도의 허점은 어떠한 의도로 만들어진 것인지에 대한 고찰이 필요하다.

지식인들의 몰락의 원인은 지식인을 양성한 교육제도 그 자체에 있다고 볼 수 있다. 인텔리 지식인의 대량 육성, 체제 유지을 위한 지식인의 활용, 한정적인 일자리 등이 지식인을 조금씩 자기파멸의 길로 이끌었다.

문화정책을 실시해 일제의 통치를 원활하게 하고자 했던 일본은 식민지 청년들에게 고등교육의 기회를 제공하고 체제유지를 위한 지식인을 양성하려 했다. 그리고 이 고등교육을 통해 다수의 하급 관리와 사무원, 은행원들이 배출되었고 이들은 일제 식민지 지배를 유지하는데 앞장서게 된다.

일례로 일제 식민지 교육의 가장 핵심인 보통학교의 교육은 수동적이고 규칙적인 인간을 양성하는데 초점을 맞추고 있다. 부모님과 어른을 공경하고, 이웃과 협력하며, 근면 성실한 생활을 통해 국가를 부강하게 만들도록 요구하는 보통학교의 가르침은 식민지배 상황에 대한 무비판적 허용과 천황 및 일제에 대한 복종을 은밀하게 강요하고 있다. 또한 학교교육은 창조적이거나 능동적인 인간으로 발전할 가능성을 사전에 차단하고 있었다. 종소리에 맞춰 점심을 먹고, 호각을 불면 체조를 하고, 늦기 전에 집에 들어가도록 권장하는 교과서의 내용은 철저히 외적인 규율에 맞추는 삶을 강요하며 사유나 적극적 행동의 여지를 남겨놓지 않는다. 즉 외부에 자극에 맞춰 규칙적이고 동물적으로 반응하면 된다는 것이 보통학교 교육의 의도였다.[6]

식민지배를 용이하게 하기 위해 실시한 교육은 인간을 사회적 제도와 폭력에 절대적으로 복종하도록 만들었다. 보통학교 교육의 효과는 고등교육을 받은 후에도 그대로 이어져 지식인들이 자신의 이념을 실행하고 일제에 저항하는 것을 사전에 차단했다. 인텔리라는 자만심과 허위의식은 막노동을 하는 것도 주저하게 만들었고 생활에 대한 어떠한 책임도 지지 못하는 룸펜으로 전락시켰다. 그들은 막연히 자신의 실업에 대해 걱정하고 가난을 원망할 뿐이다. 사회에 대한 비판조차 일제를 제외한 그 나머지

6) 강진호, 「근대 교육의 정착과 피식민지 주체」, 『상허학보』 16, 2006, p.161~162.

를 향하며 일제의 폭력 앞에서는 철저히 약한 모습을 보인다.

    P는 설명을 시작한다. P자신 그러한 장난 비슷한 공상은 하면서 일
단 해보라고 하면 주저할 것이지만 어쨌거나 그랬으면 통쾌하리라는
것이다.

    「먼저 경무국에 들어가서 아주 까놓고 이야기를 한단 말이야. 우리
가 지금 대상으로 하는 것은 총독부가 아니라 조선의 소위 민간측 유지
들이니까 간섭을 말아달라고.」

    「그러면 관허 메-데-로구만」

    「그래 관허도 좋아……그래 가지고는 거기에다가 무어라고 쓰느냐
하면 〈우리에게 향학열을 고취한 놈이 누구냐?〉……어때?」

    「좋지」

    「인텔리에게 직업을 내라……이렇게 노래를 지어 붙이거든.」

    「응……유지와 명사의 가면을 박탈시키라고……한 몇십 명이 그렇
게 데모를 한단 말이야!」

    「하하하하」

- 지학사, p.59

    지식인의 저항은 철저히 체제의 유지와 보호 속에서 이루어진다. 오히
려 지식인들이 자신들의 목적을 달성하기 위해 체제의 보호를 요청하고 있
는 것이다. 그들의 저항은 어린아이의 투정처럼 아무런 힘도 없고 실현 가
능성도 없다. 처음부터 그들의 상상 속에서만 가능한 가상의 저항이었다.

    그러나 당대의 지식인들이 사회의 구조적 모순과 불합리를 교육제도에
서 찾고 있음은 어느 정도 분명한 사실이다. 그들은 당대의 교육이 개인을

창의성이 없는 몰개성의 인간으로 육성하고 규율과 제도만을 지키는 수동적 인간으로 만들었음을 지각하고 결과적으로는 교육 자체를 반대하게 된다. 당대 지식인들의 가난과 무능력, 소심함 등은 쓸모없는 고등교육을 실시해 그들을 막노동이나 날품팔이조차 하지 못하는 지적 허영덩어리로 만든 교육정책에 일차적 원인이 있었다.

「레디메이드 인생」의 P가 아들을 인쇄소의 견습공으로 보낸 것이나 「명일」의 범수가 자동차 서비스공장에서 기술을 배우도록 자식을 보낸 것은 근대교육의 불합리에 대한 나름의 저항이 담겨 있다.

> 이튿날 아침 일찍이.
> 영주는 종태만이라도 근처의 사립학교에나마 보낸다고 데리고 나섰다. 종석이까지 데리고 간다고 밤늦게까지 우기며 다투었으나 범수는 듣지 아니하고 정 그러려거든 작은아이 종태나 마음대로 하라고. 그래 말하자면 두 사람의 소산을 둘이서 반분한 셈이다.
> 종태를 데리고 나가는 아내의 뒷모습을 바라보며 범수는 혼자 중얼거렸다.
> "두구 보자. 네 방침이 옳은지 내 방침이 옳은지."
> 뒤미처 범수는 종석이를 데리고 써비스 공장으로 최씨를 찾아갔다.
> — 창비, p.117

범수는 아내에 대항해 종석이를 자동차 서비스공장에 취직시키는 것이 아니다. 당대의 교육정책과 일제의 문화정책이 감추고 있는 불합리에 대해 대결하는 것이다. 이러한 대결은 자신이 아닌 아들을 이용한 비겁한 모습이기도 하지만 다음 세대들에게는 다른 세상을 살게 해주고자 하는 의

지로도 읽을 수 있다.

근대 교육은 제국주의의 식민지 지배 체제를 유지하기 위한 효율적 수단으로 작용했으며 식민이데올로기를 재생산하는 도구였다. 식민지인들이 무비판적으로 식민지배를 받아들이게 만드는 세뇌의 강력한 무기이며 가장 효과적 방법이었다. 수많은 민중들이 이 식민이데올로기의 희생자가 되어 일본의 국익을 위해 봉사했다. 이는 고등교육을 받은 지식인도 예외일 수는 없었다. 무기력하고 소심한 지식인들은 실천적 지식이 아닌 형이상학적인 이론으로만 장식된 채 사회에 대한 비판의 능력조차 상실하고 점차 최하층민으로 전락해 가고 만다. 1930년대 후반 한국 사회의 구조적 모순과 몰락의 그림자를 지식인들에게서도 찾아볼 수 있는 것이다.

4. 맺음말

채만식의 30년대 소설에서 우리 사회의 빈곤과 절망의 그림자는 끝이 보이지 않을 정도로 길게 드리워져 있다. 빈곤은 모든 사람들을 황폐하고 만들고 사람들을 매춘부와 도둑으로 만들었다. 이때 사회의 개혁에 앞장서야 할 지식인들은 그 본분을 다하지 못하고 자신들 역시 희망 없는 사회에서 점점 병들어 갔다.

지식인들을 벼랑으로 몰고 간 것은 결국 일제의 근대교육정책이었다. 일제는 천황에 충성하는 식민지 지식인을 만들고 식민지배체제를 강화하기 위해 다양한 문화통치를 실시했으며 이는 결국 몰개성적이고 무기력한 지식인을 다수 배출한 결과만 낳았다. 비판과 저항의 의무를 상실한 지식인은 결국 현실과 이상의 괴리 속에서 도피와 죽음을 출구 삼아 폭주할 뿐이었다. 도전적이고 건전한 비판정신을 지닌 지식인을 만들어야할 근대교육은 이렇게 실패로 막을 내리게 된다.

기녀(妓女)에 투사된 근대적 여성상
- 박화성의 『백화』를 중심으로

강애경*

1. 박화성과 근대공간

작가 박화성(朴花誠)은 전형적인 신여성이었다. 그녀는 1904년 개항도시 목포에서 태어나 고등보통학교를 졸업하고 일본유학까지 한 신식교육을 받은 여성이다. 뿐만 아니라 학업 도중에 자유연애를 통해 결혼하였으며 이후 남편이 경제적으로 가정을 이끌어나가지 못하자 스스로 글을 써서 이를 생활의 방편으로 삼았다. 그때 쓴 글이 동아일보에 연재된 여성최초의 장편소설 『백화』[1]이다. 이 작품은 연재 당시 남성작가가 대필한 것이 아니냐는 루머가 돌았다. 여성작가가 드물었던 당시에 이러한 루머는 역으로 읽으면 오히려 작품성에 대한 일종의 반증이라고 할 수 있겠다.

최초의 여성 장편소설이라는 점만으로도 충분히 의의가 있는 작품인

---

* 전남대 국문과 박사 수료
1) 『백화』는 1932년 6월부터 이듬해 11월까지 동아일보에 연재되었다. 이 글에서는 서정자 편의 박화성, 『백화』, (박화성 문학전집1, 푸른사상, 2004)를 주요 텍스트로 한다. 이후 쪽수만을 표기한다.

『백화』는 그 연재 계기가 생활고였다는 점에서도 생각할 거리를 준다. 당시 여성담론에서 신여성에게 기대했던 모습을 박화성 스스로가 체현한 것이라고 볼 수도 있기 때문이다. 뒤에서 자세히 살펴보겠지만, 당시 신여성 담론에서는 여성에게 과중한 역할을 요구했다. 『여성』지에 실린 "씩씩한 젊은 여성들은 모름직이 직장을 찾아 나갑시다"[2]라는 표어에서 볼 수 있는 바와 같이 여성이 육아나 가사노동뿐만 아니라 직업의식까지 갖길 기대했던 것이다. 1930년대 여학교 교육을 받은 여성들의 수가 급증하면서 '신여성 되기'는 여성들의 당연한 목표[3]가 되었다.

근대공간에서 '신여성'이라는 아이콘은 여성들에 의하여 자발적으로 만들어졌다기보다는 남성과 일본제국주의의 주도로 이루어졌다. 1910년대 말 서구적 근대화에 대한 열망으로 남성지식인들에 의해 여성 교육과 자유연애가 트렌드로 떠오른다. 여기에 발맞춰 근대적 교육을 받는 여학생이 된 신여성들은 트레머리, 짧은 통치마, 양말, 높은 구두, 양산, 꽃무늬 책보나 손가방, 분화장으로 외모를 장식한다. 이러한 과도한 외모꾸미기와 자유연애의 폐단은 결국 남성들의 질타를 불러일으킨다. "실질의 숙녀보다 외식(外飾)의 숙녀 되기가 얼마나 쉬운가 하는 탄식이 자주 터져 나왔다"[4]고하니 그 반향이 어떠했을지 알만하다. 1920년대에 들어서면 남성들의 신여성상에 수정이 가해진다. 초기의 서구 지향 일변도에서 남성의 내조자로서의 여성성이 더욱 강조된 것이다. 여성의 지적능력과 예술적 능력 등 여성의 모든 능력이 자립이나 자기성취보다는 남성과 가정

---

2) 이상호, 「여성과 직업」, 『여성』 3권 8호, 1938, p.30.
3) 한민주, 「파시즘적 인간형으로 개조되는 신여성과 낭만주의적 방법론–이태준의 일제말기 장편소설을 중심으로」, 한국여성문학회 제12차 정기연구발표회, p.5.
4) 권보드래, 『연애의 시대–1920년대 초반의 문화와 유행』, 현실문화연구, 2004, p.66.

사에 뒷받침되도록 쓰여 지는 것이 올바르다는 인식이 일반화된다.

이러한 시대적 상황을 숙지하고 다시 한번 『백화』를 돌아보면 뭔가 다른 것이 엿보인다. 『백화』의 여주인공 '백화'는 고려 말엽의 명기이다. '백화'가 문(文)과 예(藝)에 뛰어난 기생이라는 점에서 근대공간의 남성들이 바랐던 신여성상과 닿을 수 있는 연결고리가 보인다. 주인공 '백화'에게 근대적 여성상이 투사된 모습으로 그려지고 있는 것이 아닐까? 이 글은 이러한 문제의식을 출발점으로 하여 먼저 근대공간에서의 여성담론을 살펴보고 이를 토대로 『백화』에서 근대적 여성상이 어떻게 나타나고 있는지 알아보고자 한다. 그 결과 긍정적으로만 평가되어왔던 근대적 여성상이 실지로는 신여성이라는 외피를 두르고 전근대성을 함유하고 있었음을 밝혀볼 것이다.

2. 근대공간에서의 신여성 담론

1910년 국권 피탈 이후 일제로부터의 독립을 가속화하기 위한 방편으로 근대성의 추구가 두드러진다. 이와 더불어 여성에 대한 관심 또한 높아져 구여성과 신여성을 가르고 구여성의 폐해와 신여성의 긍정적 측면이 부각된다. 그러나 이러한 논의 과정이 여성 스스로의 근대화에 대한 자각을 통해 이루어졌다고 보기는 어렵다. 오히려 남성지식인들에 의해 계몽적 대상으로서의 여성, 민족해방에 기여해야할 존재로서의 여성이라는 측면에서 논의된 것이라고 보아야 타당할 것이다.

서구 편향적 근대화 추구에 있어서 자유·평등은 체계적 단계를 거쳐 이루어져야 할 것으로 여겨졌다기보다는 근대화하기 위해서는 무조건 따라야할 것으로 추종되었다. 그러지 못할 경우 문명개화에 장애가 된다는 강박에 사로잡혀 있었기 때문이다. 여성들은 개혁의 대상이 된 구관습, 구사상의 요체였기에 반드시 근대화시켜야하는 대상으로서 지배담론의 주목을 받게 되었던 것이다. 그리하여 문명개화한 근대공간에 적합한 어머니와 아내를 길러내기 위한 교육의 필요성을 주장하는 목소리가 높아지고, 새 시대에 걸맞는 근대적 여성상이 논의되면서 신여성 담론이 생산되기 시작한다.

우리나라에서 1920년대는 최초로 여성이 자기 목소리로 여성해방을 외친 시대였으나 사실 신여성 담론은 남성지식인들의 주도로 이루어져왔다. 때문에 신여성 담론에서는 한편에서 근대적 여성교육을 주장하고 다른 한편으로 전통적 가치에 여성을 가두어 두려는 모순된 현상이 발견된다. 근대공간에서 이제 겨우 자의식을 갖게 된 여성들은 스스로 여성해방담론을 생산하기보다는 담론의 영역을 지배하고 있던 남성들의 그것에 의해 길들여져 버리는 경향이 있었다. 즉, 일제하 '신여성' 은 남성지식인들에 의해 한국의 근대적 여성상으로 제시되었던 것으로 볼 수 있다.

남성지식인들은 실력경쟁의 시대에 한국 사회의 '근대화' 문제가 민족의 생존과 직결되는 문제라고 생각하고 '근대화' 를 위한 구성요소의 하나로 '바람직한 근대여성' 에 대해서도 정의를 내리기 시작하였다. 그들의 여성상은 여성 자신보다는 민족·국가의 문명개화를 위해 헌신하는 어머니이자 신교육을 받은 신남성의 이상적 배우자로서의 '민족주의적 현모양처' 였다.[5] 당시 가장 이상적인 여성상으로 제시된 '현모양처' 는 일과

---

5) 고옥경, 「일제시기 남성지식인층의 여성인식 연구—1920년대 '신여성' 담론을 중심으로」, 동아대학교역사교육석사학위논문, 2004, p.5.

가정생활을 모두 완벽하게 해내는 여성상이기도 했다. 그리하여 여성이 직업을 가짐으로 인해 부인으로서, 어머니로서, 며느리로서의 역할을 소홀히 해서는 안됨을 강조하는 여론이 신문과 잡지에 자주 등장하였고 이에 대해 신여성들의 비판의 소리도 있었지만 대부분의 지식층 여성들 자신도 이를 이상형으로 추구하였다.[6]

그리하여 1920년대 중·후반에는 자유·평등의 추구보다는 오히려 이상적 신여성상으로서 '현모양처'가 담론 경합에서 우위를 차지하게 된다. 이러한 경향은 당시 남성지식인들의 이상적 신여성에 관한 글에서도 잘 나타난다. 1920년대 초 신진청년으로서 『신여자』에 신여성 주부관을 피력한 양백화는 현대 남자가 요구하는 신여성 배우자의 7가지 조건으로 교육, 건강, 용모, 의지, 애정, 치가(治家), 취미성을 들었다.[7]

① 교육은 적어도 중학정도의 여학교를 졸업하고 사교성이 있어야 하며 한문이 섞인 신문의 내외의 기사를 읽고 비판할 만한 이해력을 가져야 한다. 그리고 남편이 부르는 대로 한문 섞인 원고를 받아쓸 만하여야 한다.

② 건강에 대한 요구는 비만하지 않은 건강미를 가진 여성이어야 하고, 허약하여 조금만 노동하여도 피로해 하는 여자는 "불가(不可)"라고 하였다.

③ 용모는 단아하고 애교 있는 여자를 요구하고 있다.

④ 남편이 어려움에 처했을 때 위로와 격려를 해줄 수 있는 강한 의지

6) 이배용, 「일제하 여성의 전문직 진출과 사회적 지위」, 국사관논총 83, 1999, p.37.
7) 양백화, 「현대의 남자는 어떠한 여자를 요구하는가?」, 『신여자』 창간호, 1920. 3. pp.15~18.

의 여자여야 한다.

⑤ 애정은 부부 결합의 요소이므로 죽기로써 정조를 지킬 결심을 가지고 무한한 애정을 남편에게 주는 여자여야 한다.

⑥ 치가란 가정 살림꾸리기인데, 집안일을 적절하게 처리하되 임기응변에 민활해야 한다고 했다.

⑦ 취미성은 아내가 독서, 회화, 음악, 원예 등의 문화적인 생활을 적어도 한 가지 이상을 자신의 취미로 삼기를 요구한다. 이는 아내의 취미생활을 통하여 아내 자신의 계발은 물론 가정을 문화적으로 윤택하게 이끌어가라는 주문이다.[8]

①번 항목에서는 여성이 교육받은 것을 독립과 자기계발에 이용할 것을 권유하는 것이 아니라 남편의 지적인 보조자로서 충실하기를 요구하고 있다. ⑤번 항목에서는 전통적 정조이데올로기가 강하게 배어있는 모습을 확인할 수 있다. 이외의 항목은 가정을 잘 꾸리기 위해 필요하다고 생각한 요소들로 채워진 것으로 여겨진다.

근대공간에서 많은 영향력을 발휘한 이광수 또한 신여성논의에 끼어들었다. 그러나 이광수[9] 역시 위의 논자와 크게 다르지 않은 여성관을 피력하였다. 이광수가 여성들에게 바란 열 가지 덕목은 아래와 같다.

① 건강하도록 위생, 운동, 영양, 생활의 규율에 주의하기

② 조선 역사, 조선어, 조선 문학, 조선 사정, 조선의 장래에 관하여 배

---

8) 고옥경, 앞의 논문, 재인용.

9) 이광수, 「신여성 십계명 : 젊으신 자매께 바라는 십개조」, 『만국부인』 창간호, 1932.

우고 생각하기

③ '첫사랑을 남편에게' 라는 주의를 확수하기

④ 사치를 엄계하고 일신에나 가정에나 수지 예산을 세워 절약 제일주
의를 가지시되 민족 경제에 유의하여 [우리 겟] 주의를 지키시기

⑤ 결(缺)

⑥ 내우 수집움을 던지고 천연한 인격의 위엄을 지니시기

⑦ 개인생활, 가정생활, 단체생활, 기타에 개선을 염두에 두어 날로 향
상의 노력을 쉬지 마시기

⑧ 신문 잡지 서적을 보시기

⑨ 처녀여든 배우자 선택에, 아내여든 일하는 남편을 정신적 협조를 주
기에 힘쓸 것

⑩ 젊은 여성은 가정과 그 몸이 있는 곳에 평화와 빛을 주는 것이 천부
의 성직(聖職)이니 항상 유쾌와 자애와 겸손의 덕을 가지고 분노, 질
책, 질투, 투쟁의 형상을 보이지 마시기[10]

③번 항목에서는 정조를 지킬 것을, ④번과 ⑩번 항목에서는 가정에 충
실할 것을 요구하고 있다. 그리고 ⑨번 항목에서는 신진 남편의 동무이자
협조자로서의 아내이기를 권유하고 있다.

두 남성이 바란 여성상에서 근대적인 측면과 전근대적 측면이 혼합되
어져 나타나고 있음을 확인할 수 있다. 먼저, 근대적 측면에는 교육과 건
강, 문화생활에 대한 논의를 들 수 있겠다. 양백화의 ①, ②, ⑦번 항목과

---

10) 박용옥, 「신여성에 대한 사회적 수용과 비판」, 『신여성-한국과 일본의 근대여성상』, 청년사,
2003, p.75 재인용.

이광수의 ①, ②, ⑧번 항목이 그것이다. 그러나 양백화의 경우 여성의 교육에 대하여 얘기하면서 "남편이 부르는 대로 한문 섞인 원고를 받아쓸" 줄 알아야한다고 덧붙임으로서 여성의 내조자적 면모에 중점을 둔다. 이 부분이 바로 근대적 여성상의 전근대성을 드러내는 연결고리가 된다. 더 나아가 취미를 가질 것을 독려하면서 동시에 이것을 가정의 문화생활에 이용하길 권유하고 있다. 근대적 여성상은 결국 아내로서, 가정의 살림꾼으로서의 역할에 알맞은 여성상이었던 것이다. 전근대적 측면을 가장 잘 드러내는 부분은 바로 "정조"를 지킬 것을 강조하는 양백화의 ⑤번 항목과 이광수의 ③번 항목이다. 이광수의 경우 "첫사랑을 남편에게"라고 표현하고 있어 정조를 얘기하는 것인지 정신적 사랑을 의미하고 있는 것인지 그 의미하는 바가 애매하지만 굳이 "첫사랑을 남편에게"라는 주의를 확수하길 바란다고 강조한 것을 보면 정신적인 사랑이라기보다는 육체적인 사랑을 의미하고 있다고 보는 것이 맞을 것이다.

이러한 신여성상은 단지 남성지식인들만의 전유물은 아니었다. 여성들 또한 유교적 전통사회에서 시부모 공양이 가장 중요했던 것에 비하여 핵가족 중심의 가사노동을 지위상승으로 여기고 환영했던 것으로 보인다.[11] 그러나 아무리 신여성상의 대상인 여성들이 그것을 암묵적으로 승낙하였다 하더라도 근대적 여성상의 퇴행적 전근대성이 무화되거나 사라지는 것은 아니다. 우리는 박화성의 『백화』에서 근대적 여성상에 대한 암묵적 승인의 한 양상을 살펴볼 수 있다.

---

11) 여기에 대해서는 김혜경, 『식민지하 근대가족의 형성과 젠더』(창비, 2006)의 제3부를 참조.

3. 『백화』에 나타난 근대적 여성상

앞에서 잠깐 언급했던 바와 같이 『백화』를 쓴 작가가 신여성이었고 작품의 주인공이 또한 여성이라는 점에 착안하여 이 글을 쓰게 되었다. 역사소설이라는 장르 자체가 다분히 알레고리적 경향을 가지고 있다는 것은 주지의 사실일 뿐만 아니라 신여성과 기생의 유사성이 포착되어졌기 때문이다. 그렇다면 근대공간의 신여성상이 고려의 기생 '백화'에게서 투사되어 나타났다고 보는 것 또한 무리는 아닐 것이다. 즉, 『백화』가 신문연재소설이었다는 점에서 기생 인물은 감각적 흥미를 유발할 뿐만 아니라 그 이상의 근대적 함의를 내포하고 있었던 것이다.

『백화』는 고려 말엽 서경, 지금 평양의 명기 '백화' 12)를 주인공으로 하고 있다. 이 작품은 본시 기녀 출생이 아니었던 '일주'가 기생 '백화'가 되고, 어떻게든 그녀를 흔들어보려는 시대와 사람들 속에서 고고하고 기품 있는 존재가 되기까지의 시련과 고통을 그리고 있다. 내용은 대략 다음과 같다.

백화는 서경 명기의 기명으로 본명은 '일주'라 하였는데 본시 양반의 딸이었다. 공민왕 중기 대학관 박사로 있던 아버지 임경범의 아래에서 공부한 일주는 어려서부터 시문에 뛰어난 재능을 나타낸다. 그러나 일주가 10살도 못되었을 무렵 아버지는 신돈을 탄핵하는 상소를 공민왕에게 올리고 신변이 위태로울 것을 예감하여 일주와 제자 왕생을 맺어주게 된다. 결

---

12) 『백화』는 역사적 인물과 허구적 인물을 적절히 배합하여 사용하고 있다. 역사적 인물에는 우왕, 신돈, 공양왕, 이성계, 최영이 있으며 허구적 인물에는 백화, 왕생, 초옥, 황파, 김장자, 영국, 월곡댁, 매불선사, 여산등이 있다. 작품을 이끌어가는 주요 인물은 대부분 허구적 인물로 배치되어 있다.

국 임처사는 옥에 갇혀 죽음을 맞게 되고 일주와 왕생은 뿔뿔이 흩어져버린다. 이후 일주는 황파라는 간요한 인물에게 사로잡혀 기생되길 강요받게 된다. 결국 기명을 백화라 짓고 기녀로서의 삶을 살아가게 되는데 그녀는 인물뿐만 아니라 문장과 거문고에 뛰어나 명기로 칭송받는다. 그러나 그녀는 기예는 팔았으나 몸은 팔지 않고 정절을 지켜 결국 왕생과 해후하게 된다. 극적인 해후를 하였으나 왕생은 백화와 바로 함께하지 못하고 그녀를 황파의 손에서 놓여나게 하기위한 대금을 마련하기 위해 먼 길을 떠난다. 그사이 우왕이 백화를 간택하여 몸을 취하려하자 백화는 자살을 감행함으로서 끝까지 정절을 지킨다. 때맞춰 당도한 왕생 일행은 강에 몸을 던진 백화를 구해 백년가약을 맺게 된다. 왕생은 고려 말 흔들리는 나라를 다시 세우기 위해 힘쓰지만 결국 고려가 망하게 되자 이들은 난세에 숨어들어 농사를 지으며 행복하게 산다는 이야기다.

간단한 내용요약에서도 볼 수 있는바와 같이 백화는 본시 양반의 자녀였기에 제대로 된 교육을 받아 글 짓는 능력이 뛰어나며 기생수업을 받아 예기 능력 또한 출중하다. 그리고 기녀로 생활했음에도 불구하고 정인이 나타날 때까지 정조를 지켰을 뿐만 아니라 만백성의 어버이인 왕의 간택에도 굴하지 않고 지조를 지키는 모습을 보이고 있다. 더불어 내용요약에서는 보이지 않으나 세부적인 부분에서 내조하는 여성으로써 성심을 다하는 모습을 확인할 수 있다. 아래에서는 소설에서 나타나는 구체적인 양상을 '문과 예에 뛰어난 여성', '정조를 지키는 기녀', '성심껏 내조하는 여성'으로 나누어 고찰하여 볼 것이다.

1) 문과 예에 뛰어난 여성

백화는 어려서부터 아버지와 더불어 시문을 화답할 정도로 문장력이 뛰어났다. 어린 나이에도 불구하고 용모와 재주가 비상하여 임처사가 귀애하였던 제자 왕생과 함께 공부를 시키자 그 실력이 일취월장한다.

하나를 가르치면 이야말로 열을 깨달아 점점 장성함에 따라서 문장 경서에 통달하여 능히 옛 사람의 시가를 비평하며 탄상도 하니, 임처사가 일주를 애중하는 품은 말로는 표시할 수가 없었던 것이다.

- p.36

일주는 남성과 함께 교육을 받았다는 점에서 양백화가 주장한 여성상의 ①번 항목에 부합한다. 뿐만 아니라 한시를 짓는 데도 능하여 "한문이 섞인 신문의 내외의 기사를 읽고 비판할 만한 이해력을 가져야 한다"는 조건 또한 충족시키고 있다.

한편 일주는 기녀가 되기 위하여 기생수업을 받게 되는데 타고난 재질로 말미암아 가무와 기예에도 뛰어난 성취를 이룬다. 특히 거문고 수업은 당대 최고의 악공 전화당을 스승으로 모시게 되어 최고의 음률을 사사(師事)받기에 이른다. 외모에 있어서도 기명에 못지않은 아름다움을 가져 재색이 겸비된 여성으로 성장한다. 특히 용모에 있어서 '백화'라는 이름처럼 흰색 옷을 즐겨 입고 단정한 몸가짐을 함으로서 더욱 고고한 모습을 엿보이게 한다.

가무, 기예를 배우는 동안 세월은 흐르고 흘러 열다섯 살이 되었다.
짙은 향기가 어찌 숨기어 있으랴. 서경 구석에는 백화의 이야기가 아니
간 곳이 없게 되었다. 얼굴과 문장은 논할 것도 없거니와, 가무, 기예까
지 당대 독보적인 명기라는 것이다.

– p.90

이는 양백화의 신여성상의 ③번 '용모'와 ⑦번 '취미성'을 만족시키는
부분이다. 백화는 기생임에도 불구하고 함부로 뭇 사내들에게 웃음을 흘
리지 않고 단정한 태도를 유지하며 화려한 옷보다는 소박한 옷을 즐겨 입
어 단아한 멋을 풍긴다. 특히 취미성 부분에 있어서 백화는 "독서, 회화,
음악, 원예 등의 문화적인 생활을 적어도 한가지 이상"이 아니라 모든 부
분에 있어서 뛰어난 재능을 보이고 있다.

돈과 권력에 취해 백성들을 학대하고 여자를 돈으로 살 수 있다고 믿는
모리배적인 부유층 남성들에게는 쌀쌀맞은 백화이지만 오히려 돈과 권력
은 미비하여도 학식과 기품이 출중한 선비들에게는 친절한 모습을 보인
다. 돈을 보고 기예를 파는 것이 아니라 인물의 됨됨이를 보아 합당한 이
와 함께 기예를 나누는 것이다.

"심히 변변치 못하오나, 좀 딥사오니, 찬 기운을 펴시오면, 천한 재
질이나마 높으신 지감을 받자올까 합니다."
목소리가 평화하고 다정하게 애교를 띠어 나온다. 그의 말소리는 여
전히 금방울의 소리인 듯싶다. 객은 백화를 유심히 보면서 잔을 받아
마셨다.
백화는 거문고를 당기어 단정히 앉아서 거문고를 타기 시작했다. 처

음은 누상에서 타던 곡조이더니, 곡조가 점점 변하여 침부사로 들어간다. 백어가 넘노는 듯 섬섬한 두 손길이 빠르게 거문고 줄 위에서 넘놀고 있다.

– p.167

소인배들에게 미소 짓지 않던 백화는 뛰어난 음률을 지닌 선비를 만나게 되자 애교 있는 모습을 보이며 자리를 함께하길 청한다. 인물 됨됨이를 알아보고 만나게 된 상대에게 말붙이지 못하고 머뭇거리는 것이 아니라 적극적으로 나서서 자신의 모습을 드러내는 태도에서 이광수의 「신여성 십계명」중 ⑥번째 항목의 "내우 수집움을 던지고 천연한 인격의 위엄"을 지닌 모습이 보인다.

이처럼 '백화'는 근대공간의 신여성상에서 혼합되어 나타났던 근대적인 측면과 전근대적 측면 중 전자인 근대적인 측면을 충족시키고 있다. 즉, 백화에게서 교육과 문화생활에 충분히 노출된 지적인 신여성상의 모습을 엿볼 수 있었다. 여기에 대하여 기녀로서 기예를 닦은 것이 문화생활이냐는 이의를 제기할 수도 있겠다. 그러나 알레고리로서 신여성상이 투사된 기생의 면모를 확인한 것이므로 큰 무리는 없으리라 본다. 뿐만 아니라 왕생과 백년가약을 맺은 후 일주가 가정을 활기차게 이끌어나가는 한 방편으로 기예를 사용하는 모습이 보여 진다. 이로써 기생수업 또한 교육과정의 일부였던 것으로 읽을 수 있는 가능성도 충분하리라 생각된다.

2) 정조를 지키는 기녀

임처사는 왕에게 상소를 올리고 나서 자신의 목숨이 온전치 못 할 것임을 예감하고 일주와 왕생을 불러 시문을 화답하게 함으로써 은근히 둘을 맺어주고자 하는 자신의 뜻을 내비친다. 아울러 일주에게는 후일까지 정의를 저버리지 말것을 당부하는 모습을 보인다.

> 밤에는 왕생과 일주를 자리에 모이게 하여 그들의 재주를 보는 동시에 나이에 훨씬 지나쳐 숙성한 그들임에 일부러 어떠한 암시를 주기 위하여 서로서로의 이름자와 화접의 뜻을 가져 읊게 한 것이다.
>
> — p.61

> "일주야! 네게 부탁할 말이 있으니, 명심하여라. 왕공자가 나이 어리지마는 지의가 탁월하고 기상이 당돌하여 장래가 심히 유망한 고로 내가 이미 마음을 허락하여 사랑하는 바이니, 너도 후일까지 그러한 정의를 저버리지 말게 하여라."
>
> — p.63

어려서부터 함께 공부한 왕생에 대하여 은근한 정을 가지고 있었던 일주는 아버지의 뜻을 받아 마음 깊이 새기고 기생이 되어서도 정조를 지키며 뭇 남성들에게 함부로 몸을 주지 않는다. 황파가 백화에게 손님을 맞을 것을 종용하지만 백화는 기예는 팔겠으나 순결을 바칠 남성은 자신이 선택하겠다고 당당히 요구한다. 그러나 그것은 왕생을 찾기 위해 시간을 벌고자 했던 것에 불과했다. 그러한 추측을 할 수 있는 이유는 아래의 인용문에서 나타난다.

> 백화의 침소에는 족자가 하나 걸렸으니 그것은 붉은 비단 바탕에 흰 꽃을 수놓은 것이었다. 그 흰꽃 아래로는 넉 줄 되는 글귀가 있어 아랫

귀를 얻을 자리까지 남겨놓았다. 그러고 끝으로는 이렇게 써 있다.

"화답의 글귀를 주시는 이에게 한송이 흰꽃을 드리오리다."

- p.113

백화는 흰 꽃이 수놓아져 있고 아래에는 시문이 적힌 족자를 방에 걸어두고 여기에 화답하는 이와 가연을 맺겠다고 한다. 그러나 단지 화답만을 해서 되는 것이 아니다. 백화의 마음에 맞는 글귀를 짓는 이에게만 허락되는 인연인 것이다. 허나 그것 역시 쉬운 일이 아니다. 백화는 어린 시절 아버지가 일주와 왕생을 불러 시문을 화답하게 했던 당시에 지었던 시구의 한 구절을 족자에 적어놓고 뒷부분을 완성할 사람을 찾는 것이었다. 그런데 그 뒷부분을 아는 사람은 아버지와 왕생뿐인데 아버지는 이미 돌아가셨으니 백화가 찾는 이는 바로 왕생인 것이다. 이렇게 백화는 10살도 되기 전에 맺어진 인연을 잊지 않고 찾으며 정조를 지키고자 한다. 거문고와 대금으로 음률을 나눈 선비가 족자에 대해 묻자 백화는 "저 글귀로 말하면 어렸을 때 일이라 하지마는, 평생의 지기상합은 한 번밖에 없었던 사람의 글입니다."(179쪽)라고 설명한다. 사실 이 선비는 왕생으로 우연한 기회에 백화의 노래 소리를 듣고 대금으로 화답하였다가 여기에 응한 백화의 거문고소리에 이끌려 자리를 함께 하게 된 것이다. 그런데 백화가 걸어놓은 족자를 보고 그녀가 일주임을 알게 되어 족자의 사연을 물은 것이다. 결국 왕생은 족자에 화답하는 글귀로 어린 시절 일주가 지은 시구를 적어 넣음으로써 서로를 확인하게 된다.

"손님의 성함은 누구?"

하는 말소리를 맺지 못하고, 그의 몸은 객의 앞으로 다가지며 모르는 결에 그의 두 손은 객의 무릎을 짚고 있다.

"나는 왕 서룡…."

백화는 그만 객의 무릎 위에 푹 엎드렸다. 그러고 부르짖듯이,

"나는 일주…."

하였다. 객도 백화의 등 위에 엎드러졌다.

십년 동안 쌓이고 맺혔던 모든 감정과 팽창했던 그들의 심장은 한꺼번에 폭발되고 파열해 버렸다. 두 남녀는 끝없는 눈물에 느끼고 있다.

‒ p.181

그러나 만남의 기쁨은 잠시뿐, 왕생이 일주를 기적(妓籍)에서 빼기 위한 돈을 마련하러 간 사이 우왕(1374~1388)이 백화의 미모에 반하여 그녀를 취하려한다. 백화는 이를 더럽게 여기며 죽음으로써 정조를 지킬 것을 다짐한다.

"무도 혼군아! 내 이미 부벽루에서 혼군의 실덕을 충간하고, 낭군이 있음을 말하였으나, 혼군이 끝내 무도하니, 내 이미 죽음을 결정한지라, 한번 죽어 깨끗이 넋이 되리니 어찌 혼군에게 짓밟히랴?"

‒ p.389

뭇 남성들이 아닌 왕에게까지도 정조를 내어줄 수 없다는 백화의 굳은 의지는 양백화의 ⑤번째 항목인 "애정은 부부 결합의 요소이므로 죽기로써 정조를 지킬 결심을 가지고 무한한 애정을 남편에게 주는 여자여야 한

다"는 것과 이광수의 ③번째 항목인 "첫사랑은 남편에게"라는 대목을 떠오르게 한다. 결국 죽음까지도 불사하고 지킨 정조를 "오로지 왕생의 가슴에 바치"(431쪽)게 된다.

앞에서 교육과 문화생활을 충분히 누리는 신여성상의 근대적인 측면이 확인되었다면 여기서는 정조이데올로기에 목숨을 바치는 전근대적 측면을 볼 수 있었다. 근대공간에서 남성지식인들이 과학주의에 편승하여 근대적 여성상의 일환으로 정조를 중요하게 부각시키고 있지만 사실 정조이데올로기는 유교적 가부장제 내부에서부터 포섭된 전통이었던 것은 주지의 사실이다.

3) 성심껏 내조하는 여성

현모양처의 가장 중요한 요소는 바로 내조이다. 내조자로서의 여성은 21세기인 현재까지도 중요한 덕목으로 위치해 있는 것이 현실이다. 백화는 목숨을 바쳐 실덕을 진언함으로써 왕이 바른 길을 가도록 유도한다. 이것은 실질적으로 왕이 백화와 부부지연을 맺어 내조한 것은 아니지만 왕이라는 상징적 의미가 만백성의 어버이라는 점에서 더 큰 의미가 있다 하겠다.

> "신첩이 살피옵건대, 전하의 실덕하심이 오직 국왕의 권위를 가지사
> 사물로 여기시어 유흥 중에서라도 사의에 불만하신 즉 살육을 임의로
> 하시고, 국가 만백성의 복리를 생각지 않으시니, 이보다 더 큰 실덕이
> 있사오리까. 더욱 전화의 실덕을 가지사 호기등등하게 행하시니, 전하
> 일국의 왕되심을 유일의 반초로 알으사, 일신의 일시 홍락을 도웁고자
> 전국 신민의 복리를 탈취하심이 아니오리까."   – p.252

양백화는 신여성 배우자의 7가지 조건 중 ④번째 항목에서 "남편이 어려움에 처했을 때 위로와 격려를 해줄 수 있는 강한 의지의 여자여야 한다"고 쓰고 있다.

> "방금 국가 다난하와, 외구 내환에 강토와 신민의 생사존망이 호말과 같사온지라 전하께옵서 장사를 거느리사 사지에 보내어 두시고, 전하 홀로 경색을 찾으시며, 기녀 가수로 즐기시니, 사지에 방황하여 칼을 만지며 창을 베개삼아 멀리 고향의 부모를 처자를 그리워하면서도, 초로에 자리하고 주림을 견디며, 적과 싸워 주검이 발로 밟히고, 적혈이 옷에 임리하되, 오히려 나라를 생각하며 위해서 충성을 다하옵는 장졸들을 후일 무슨 면목으로 대하려 하시나이까? 신첩이 심이 불감하오나 약간의 경사를 배운 자로써 또 한 사람의 껍질을 쓰고 생긴 자이오니, 신첩이 이것을 알고도 오히려 일신의 영행을 위하여 어찌 교언영색을 강작하여 가무 주악으로 군상을 모시오리까? 신첩이 이미 죽음을 아끼지 않사오니, 신첩의 죽은 넋이라도 천상 지하에 붙일 곳이 없을까 하나이다."

> – p.252

백화는 목숨을 건 의지로 난세의 국가를 걱정하고 왕의 실덕을 충언하고 있다. 뿐만 아니라 전쟁 중인 나라의 사정을 잘 알고 사지에 나가 힘겹게 싸우고 있을 병사들을 걱정하는 모습에서 이광수의 「신여성 십계조」 중 ②번째 항목인 "조선 사정, 조선의 장래에 관하여 배우고 생각하기"라는 대목에 부합하는 모습을 확인할 수 있다.

한편, 왕생과 부부지연을 맺고 나서 왕생이 고려 말의 위기상황에서 조정에 나가 쓰러져가는 나라의 국운을 회복하고자 노력할 때 백화는 안팎으로 내조에 힘써 가정에 밝은 기운이 돌도록 노력한다.

> 일주가 낮이면 문일에게 이르러서 가산을 정리하고, 밤이면 왕생과 이공을 도와 정사에 내조할 만한 것을 일일이 내조하며, 또한 틈나는대로 초옥과 함께 음률과 노래로 노신들을 위로하여 주야로 동동하니, 화기가 전가에 넘치어 봄바람이 항상 두 집에 불어 있었다.
>
> – p.434

이는 양백화의 ④번째 항목과 이광수의 ⑨번째 항목인 "남편을 정신적 협조를 주기에 힘쓸 것"이라는 부분에 부합하는 모습일 뿐만 아니라 양백화의 ⑥번째 항목인 치가, 이광수의 ④번째 항목인 "가정에서 수지 예산을 세워 관리할 것"에 충실한 모습이다. 더불어 취미성으로서 음률로 가정을 문화적으로 윤택하게 이끌어가는 모습을 보이고 있다. 고려폐망 이후 은거하여 농사를 지으며 살게 되는데 백화는 손수 밭일을 하는 모습을 보임으로써 양백화가 요구했던 ②번째 항목인 "건강미를 가진 여성"의 일면 또한 가지고 있음을 확인할 수 있다.

근대화 과정에서 핵가족이 탄생하면서 여성이 오히려 가정 안에 유폐되어 가정주부로서의 역할에 고정되는 양상을 확인할 수 있는데 이러한 모습이 『백화』에서도 확연이 드러난다. 즉, 시국의 사정에 밝더라도 직접 나서서 국가의 안정을 도모하기보다는 아녀자로서 충언하고 가정살림을 '동동'하게 이끌어나가는 내조자로서의 여성의 모습이 긍정적으로 그려지고 있다. 이러한 모습은 여성의 역할을 한정지어버리는 근대적 여성상의 한계점이라고 볼 수 있으며 여기에 부합하여 쓰여진 소설의 한계라고도 볼 수 있겠다.

4. 근대적 여성상으로 포장된 전근대성

『백화』에 나타난 여성의 모습이 얼마나 남성들의 이상에 맞는 여성상
이었는지 알 수 있었다. 그런데 그 남성들이 바라마지않던 여성상은 정말
근대적인 것이라고 할 수 있을까? 근대공간에서의 남성지식인들은 신여
성에게 독립적이고 해방된 여성으로서의 삶을 제시하기보다는 남편의 내
조자로서 그저 교양을 갖추고 남편을 섬기는 상냥한 아내, 자애로운 어머
니가 되기만을 바랐던 것으로 보인다. 그리고 여성 스스로도 이것을 이상
형으로 삼고 여기에 충실하기 위하여 최선을 다했던 것이다.

리타 펠스키[13]는 근대성을 남성에 의해 지배되는 특수한 공적·제도적
구조와 동일시함으로써 결과적으로 여성의 삶, 관심사, 전망 들이 거의 전
적으로 배제되었기에 이와 같은 현상이 발생한 것으로 보고 있다. 달리 말
한다면, 남성이 공적영역의 담론을 지배하고 있기에 여성이 근대화를 추
구하기 위해서는 그들의 담론을 수긍하고 따라가야 할 수밖에 없는 이율
배반적 상황이 연출될 수밖에 없다는 것이다. 누구도 자신이 살아가는 동
시대의 지배담론에서 완전히 자유로울 수는 없다.

여기서 또 하나의 무서운 사실을 발견하게 된다. 일제하 남성지식인들
또한 일본 본토의 주류 담론에서 절대 자유로울 수 없다는 점이 그것이다.
일제가 만들어놓은 호주제를 가부장제의 든든한 후원군으로 생각해왔던

---

13) 리타 펠스키/(김영찬·심진경 역), 『근대성과 페미니즘』, 거름, 1998.

남성들의 모습은 근대공간에서는 얼마나 그것이 더 심각한 현상일 수 있었을런지 추측하게 한다. 서구를 모델로 근대화를 추구하던 당시에 여성을 계몽하기 위하여 남성들이 남녀평등을 주장하며 내세웠던 이론에는 서구가 하니까 우리도 그러해야한다는 무비판적 수용의 모습을 확인할 수 있다.

> 지금 세계에 눈으로 보고 귀로 들어도 남녀의 권리가 평등한 나라는 다 개명하고 부강하거니와 남녀권이 평등이 못되고 보면 나라가 미약하고 사람이 조잔한지라 오늘날 우리 대한형세로 말하거드면 제일 큰 악습이 있으니 이 악습으로 하여 전국 인민이 이천만에서 일천만은 죽은 모양이오[14]

"논리 이전에 선험적 차원에서 서구가 표준으로 제시"[15]되면서 우리나라가 부강한 나라가 못되는 것은 여성이 개명하지 못한 때문인 것으로 여겨지게 되는 것이다. 남녀평등의 논리를 제대로 이해하지 못하고 무조건 근대화되기 위해서는 서구의 것을 모방해야한다는 의식을 가지고 있었기에 남녀평등에 대한 논의는 근본적 여성해방과는 상이한 모습을 보이게 된다.

> 하늘이 만물을 내시매 음양과 자웅이 있어 서로 조금도 어기어짐이 없어야 순환하는 이치에 떳떳한지라 사람은 남녀 두 길에 나누었으나

---

14) 〈매일신문〉 92호, 1898년 8월 13일자, 논설.
15) 고미숙, 『한국의 근대성, 그 기원을 찾아서─민족·섹슈얼리티·병리학』, 책세상, 2005, p.92.

남녀상합하야 생육하고 번성하나니 그 덕이 어찌 적으리오 남녀 둘 사
이에 일호도 높고 낮음이 없고 크고 적음이 없거늘 만일 이 사이에 무
슨 분별이 있고 보면 이는 이치에 대단히 어기어짐이라[16]

위의 글은 여성해방에 대하여 나름대로 논리적 서술을 하고 있지만 근
본적인 위계화가 내부에 깊이 자리 잡고 있다. 음은 양을 보완하는 역할
에 더 중점이 있기 때문이다. 우리나라가 개명하고 부강하게 되기 위해서
는 결국 여성의 내조가 필수불가결하며 민족주의적 현모양처가 탄생해야
만 일제의 압제에서 벗어날 수 있다는 가부장적 논리가 성립하게 된다.
여기에서 근대적 신여성상 내부에 존재하는 가부장적 논리의 기원이 엿
보인다. 그런데 1930년대 이후 일본이 일본적인 전통에 입각한 근대화를
선언하면서 식민지의 전통적 요소들도 적극적으로 이용하고자 하였다.
여기에 동조하여 식민지에서도 극복의 대상으로만 여겨졌던 "전통에 대
한 재인식의 필요성이 대두하면서 근대=선, 전통=악으로 보는 이분법적
사고방식이 지양"[17]되기 시작하면서 여성담론의 가부장적 논리화가 더욱
심화된다.
　여기에서 박화성의 『백화』가 역사소설로서 대중적 인기[18]를 얻게 된
작동원리가 엿보인다. 이미 독자대중은 근대적 여성상으로 포장된 전근대
적 기표에 익숙해져 있었으며 그것이 고려시대의 기생이라는 상징적 기제
로 쓰여 지면서 신·구의 교묘한 혼합을 이루게 되었던 것이다.
　이즈음에서 우리는 한 가지 유혹에 시달리게 된다. 『백화』에 나타나는

---

16) 〈매일신문〉 92호, 1898년 8월 13일자, 논설.
17) 김경일, 『여성의 근대, 근대의 여성』, 푸른역사, 2004, p.56쪽.
18) 백화의 인기도는 1959년 덕흥서림에서 『백화』를 다섯 번째 출판한 것으로도 확인할 수 있다.

여성인물이 남성지식인들이 상정해놓은 신여성상에 너무 잘 부합되기 때문에 생기는 유혹이다. 즉, 작가 박화성이 남성지식인들의 과학주의적 논리로 포장한 전근대적 신여성상을 간파하고 거기에 완벽히 들어맞는 여주인공을 탄생시킴으로써 오히려 그러한 근대적 공간을 비판하고 있다라고 보는 것이다. 물론 이러한 주장은 심한 반대에 부딪힐 소지가 크다. 뿐만 아니라 이미 우리는 누구도 동시대의 지배담론에서 완전히 자유로울 수는 없다는 사실을 너무도 잘 알고 있다. 여기에 대한 심도 깊은 논의는 이후의 과제로 남겨놓는다.

▌▌▌▌ 참고문헌

박화성, 『백화』, 박화성 문학전집1, 푸른사상, 2004.

박화성, 「소설 백화에 대하야」, 『동광』, 1932, 1.

양백화, 「현대의 남자는 어떠한 여자를 요구하는가?」, 『신여자』 창간호, 1920. 3.

이광수, 「신여성 십계명 : 젊으신 자매께 바라는 십개조」,

　　　　『만국부인』창간호, 1932.

　　　　〈매일신문〉 92호, 1898년 8월 13일자, 논설.

이상호, 「여성과 직업」, 『여성』 3권 8호, 1938.

고미숙, 『한국의 근대성, 그 기원을 찾아서-민족·섹슈얼리티·병리학』,

　　　　책세상, 2005.

고옥경, 「일제시기 남성지식인층의 여성인식 연구 - 1920년대

　　　　'신여성' 담론을 중심으로」, 동아대학교역사교육석사학위논문, 2004.

권보드래, 『연애의 시대-1920년대 초반의 문화와 유행』, 현실문화연구, 2004,

김경일, 『여성의 근대, 근대의 여성』, 푸른역사, 2004.

김혜경, 『식민지하 근대가족의 형성과 젠더』, 창비, 2006.

박용옥, 「신여성에 대한 사회적 수용과 비판」,

　　　　『신여성-한국과 일본의 근대여성상』, 청년사, 2003.

이배용, 「일제하 여성의 전문직 진출과 사회적 지위」, 국사관논총 83, 1999.

리타 펠스키/(김영찬·심진경 역), 『근대성과 페미니즘』, 거름, 1998.

한민주, 『파시즘적 인간형으로 개조되는 신여성과 낭만주의적 방법론

　　　　- 이태준의 일제말기 장편소설을 중심으로」,

　　　　한국여성문학회 제12차 정기연구발표회.

박화성 단편소설에서의 근대 도시

조은숙*

1. 호남 근대 형성과 도시

소설은 특정한 공간을 배경으로 하여 거기에 사는 사람들의 이야기를 담아낸다. 그것은 실제하는 공간이기도 하고, 허구의 공간이기도 하다. 중요한 것은 어떤 공간을 작품의 배경으로 하는가와 작가 의식이 밀접하게 관련을 맺는다는 점이다. 또 작가는 공간을 자신의 구도에 따라 적절히 변형하기도 하고, 의미를 부여하기도 한다. 그것을 이해하는 것은 작품의 심층 구조를 이해하는 데 중요한 디딤돌 역할을 한다. 각 공간에는 그 나름의 역사가 있고, 그 역사의 땅 위에서 인물들이 움직일 때, 자신이 보여 주고자 하는 바를 가장 효과적으로 표현할 수 있기 때문이다. 호남의 근대성을 논할 때 도시는 중요하다. 도시는 근대의 양상뿐만 아니라 근대의 의미나 이념까지도 담아내는 공간이다. 특히 호남의 곡물이 일본으로 유출됐던 관문으로 일제의 식민지 수탈의 한 상징적 장소였던 목포는 빼 놓을 수

---

* 전남대 국문과 박사 과정

없는 장소이다.

그렇다면 호남의 근대 형성에서 목포는 어떤 역할을 하였을까? 목포는 1897년 10월 1일 개항을 통하여 개항장이 되면서 전국 6대 도시에 들만큼 성장하면서 도시사회의 면모가 부각되었다. 일제가 목포를 개항지로 주목한 이유는 영산강을 이용하여 내륙 소비시장까지 기선을 통한 화물수송이 가능하다는 점과 나주·능주·광주 등 큰 시장을 배후에 끼고 있어 화물의 집산이 쉽다는 점, 그리고 나주평야에 있는 쌀을 일본으로 수송하기에 지리적으로 편리하다는 점 때문이다. 일본은 메이지유신 이래 자본주의가 급격하게 진행되면서 불균형적인 도시화와 폭발적인 인구 증가로 식량난과 주택난 등이 심각했다. 그래서 1920년대 말 세계 대공항으로 인한 체제 붕괴의 타개책으로 식민지 조선을 경제순환의 완충지로 삼고자 하였다. 이와 같은 문제를 해결하기 위해 가장 적합한 곳이 목포였다. 목포는 이미 상업과 무역의 중심지로 부상되어 1920년대 미곡수출과 관련하여 도정공장이 40여 개가 생겼고, 면화와 관련하여 조면공장이 30여 개가 생겼다. 근대적인 상업시설이 전무한 가운데, 일제가 수탈을 위한 기능만을 담당하게 하기 위하여 도시의 산업구조를 미곡과 면화에 편중하였던 것이다. 공장과 항구가 생기자 일제의 토지조사사업으로 땅을 빼앗긴 농민들이 일자리를 찾아 인근의 신안, 영암, 강진, 해남, 진도, 완도 등지에서 목포로 몰려들었다. 이들은 유랑노동자로 전락하지 않을 수 없었고 이런 식으로 양산된 값싼 노동력의 착취를 목표로 한 공업화 정책은 노동자의 비인간적 노예화, 공업과 농업의 불균형, 기형적 도시화의 진행 등의 결과를 낳게 하였다.

또한 목포 사람들은 개항장을 통해 전달되는 많은 서양 문물로 인하여 서양근대 문명에 눈뜨게 되었고, 서양 선교사들을 중심으로 한 서양 문화의 전파에도 상당한 영향을 받았다. 특히 목포는 전남 지방에서 선교사에 의해 기독교가 가장 먼저 전파되었고, 그들에 의해 근대적인 학교도 세워졌으며, 서양의 근대의술도 전파되었다.

2. 근대 도시로서의 '목포'

박화성의 1930년대 단편소설을 살펴보면 대부분의 공간적 배경이 목포나 그 인접한 어촌과 농촌이다. 그렇다면 박화성은 왜 그토록 목포라는 공간에 집착하였을까? 그것은 박화성에게 목포는 고향으로서 역할보다는 창작의 산실로서 의미를 지녔기 때문이다. 박화성은 목포를 기형적인 근대도시로 보고 있다. 자연 그대로의 목포가 도시 형성 조건으로 적합하지 않아 일제가 인위적으로 간척사업을 하여서 만들었던 것처럼 목포의 근대적 요소는 모두 불구적인 자질을 갖추고 있다고 보고 있다. 그래서 박화성이 근대도시로서 목포에 초점을 맞추고 있는 것은 근대화 양상이다. 이를 「추석전야」, 「비탈」, 「신혼여행」을 통해서 고찰하기로 한다.
「추석전야」에서 박화성은 근대화로 인해 드러난 목포 시가지를 유달산에서 내려다보듯이 묘사하고 있다.

> 유달산은 별을 뿌린 듯 붉은 눈들이 깜박인다. 하늘에 별, 시가에 전등, 산밑에 불, 세 가지 구슬들이 밤빛 속에서 각기 제멋대로 반짝이고 있다.
> 목포의 낮(晝)은 참 보기에 애처롭다. 남편으로는 늘비한 일인의 기와집이오. 중앙으로는 초가에 부자들의 옛 기와집이 섞여 있고 동북으

로는 수림 중에 서양인의 집과 남녀학교와 예배당이 솟아 있는 외에 몇 개의 집을 내놓고는 땅에 붙은 초가뿐이다. 다시 건너편 유달산 밑을 보자 집은 돌 틈에 구멍만 빤히 뚫어진 돼지막 같은 초막들이 산을 덮어 완전한 빈민굴이다. 그러나 차별이 심한 이 도회를 안고 있는 자연의 풍경은 극히 아름답다.

- 「추석전야」에서

그 곳에서는 목포가 바다 하나를 격하여 유달산의 측면인 솔숲 속에 솟은 붉은 지붕의 문화 주택들을 비롯하여 공장의 높다란 굴뚝들이며 온금동 비탈의 구멍만 보이는 초가집들을 보이고 있었다. 과연 신흥도시의 양면을 잘 보이고 있었다.

- 「비탈」에서

낮에 보는 목포는 신흥도시의 양면이 드러난다. 일인의 기와집과 서양인의 집, 남녀학교와 예배당과 같이 근대화된 공간인 신흥도시적인 측면과 돌 틈에 구멍만 빤히 뚫어진 돼지막 같은 초막들이 산을 덮은 완전한 빈민굴이다. 근대 도시의 형태인 일본인 거주지 조계지는 바둑판 형태로 구획되어 근대적 공간을 표상하고 있으며, 유달산 자락 공동묘지 위에 조성된 무계획된 시가지인 조선인 거주지는 전근대의 공간으로 인식된다. 항구로 출퇴근하는 부두 노동자들은 조선인 거주지를 지나 일본인 거주지를 통과해 항구에 이르게 된다. 이처럼 공간의 대비가 근대성과 전근대성, 일본(인)과 조선(인)의 대립으로 연결되고 있다. 박화성은 타자에 의해서 근대 도시로 탈바꿈한 목포의 모습을 부정적인 시각으로 나타내고 있다. 즉, 박화성은 근대 도시를 조선인 주체의 자생적인 발생보다는 외부의 힘에 의한 불가역적인 강제로 보고 있다.

> 하루에 네 번씩 나가고 들어오는 기차를 보내며 많은 정거장을 중심
> 을 선인(鮮人)과 일인(日人)의 상점이 즐비한 중앙은 조선의 몇 째 안
> 가는 도회로 부끄럽지 않으며 크고 작은 섬이 둘러 있는 푸른 바다에
> 점잖은 기선과 어여쁜 흰 돛대, 방정스러운 발동선들이 들고나는 항구
> 의 특색은 남편 해안에 있다. 주위의 풍경은 그림 같고 농촌과 어촌, 산
> 촌과 도회와 항구의 각색 맛을 겸하여 가지고 있는 목포는 매일 움직이
> 고 시시각각으로 자라가건만 그 이면에 잠겨 있는 빈민의 생활은 다른
> 곳에서 볼 수 없을 만한 비참한 살림이 숨어 있는 것이다. 그러므로 낮
> (晝)에 높은 곳에서 이 저자를 내려다 볼 때는 그렇듯 여러 가지 눈길이
> 일어나거니와 밤의 도회(都會)는 다만 아름다울 뿐이다.
>
> — 「추석전야」에서

박화성은 목포의 근대화 양상을 공장의 높다란 굴뚝과 기차를 통해 드
러내고 있다. 실제로 목포는 도시구조 자체가 기형적으로 형성되었다. 아
직 근대적인 상업시설이 전무한 상태인데 일제가 수탈을 위해 공장을 세
우고 기차 운행을 늘리다 보니, 인근의 농민들이 너도나도 공장과 부두 일
일노동자로 몰려들었다. 또한 일본인들의 이주가 활기를 뛰어 1만 명에
가까운 일본인들이 지배세력으로 군림하였고, 7만여 명의 조선인들이 피
지배층으로 살아가게 되었다. 그렇기 때문에 공장과 부두 일일노동자들은
돼지막 같은 초막에서 살아갈 수밖에 없는 현실이었다. 박화성은 목포의
변화에 대해 냉정한 시각을 지니고 있다. 목포가 농촌과 어촌, 산촌과 도
회 그리고 항구의 맛을 느낄 수 있는 매일 움직여서 시시각각으로 자라나

는 신흥동시이지만 과연 그 부산함이 누구를 위함인지 묻고 있다.

> 큰길 좌우에는 음식점이 거의 한 칸도 거르지 않고 먼 거리까지 죽 연해 있었다. 그 음식점마다 기름머리를 치켜 빗고 분을 하얗게 뒤집어 쓴 여인들이 삼사 인씩 번들거리는 인조견 치마들을 지르르 끌고 길거리에 나와 서서 콧노래를 부르고 몸을 흔들거리면서 그럴듯한 행인들에게 낚싯대를 걸고 있다.
> "이것이 조선에서도 첫째로 칠만한 목포 공설 시장이라우."
> 준호가 왼쪽에 보이는 큰 건물을 가리켰다.
> …(중략)…
> "흥. 목포에 카페가 몇 개나 되는지 알우? 조선 카페가 큰 것으로만 네 개 일본 카페는 아마 열 개쯤이나 될걸."
> "술집이 이렇게두 많은데 웬 카페가 또 그렇게 많어요? 아니 목포 사내들은 술만 먹구 카페만 다니나?"
> "그러기에 기가 막힌단 말이지요. 술과 계집으로 하는 장사가 목포처럼 번창하는 곳은 아마 전 조선에 없을 걸."
>
> － 「신혼여행」에서

박화성은 목포의 근대화 양상을 '공설 시장'에서 찾고 있다. 목포의 경우 전통 사회에서는 목포진이 설치되었을 뿐이지 장시를 형성할 만한 조건을 갖추지 못하였다. 이러한 상태에서 바로 근대의 시기로 이행하면서 상설시장이 형성되었다. 그러므로 상설시장은 근대성의 표상이라 할 수 있다. 물리적 공간의 변화와 그 공간에서 일어나는 인간의 점유 양식은 물리적 공간에 상징성을 부여함으로써 그 공간에 전혀 새로운 지도를 그리게 한다. 목포 공설 시장은 조선에서도 첫째로 칠만한 시장이다. 그런데 그 시장에서 흘러나오는 소리는 카페에서 여급들이 억지로 웃는 웃음소리이고, 보이는 것은 얼굴에 분을 바르고 인조견 치마를 입은 여인들이 콧노래를 부르며 지나가는 행인들을 유혹하는 장면이다. 이는 목포가 다른 도시에 비해 항구 도시이기 때문에 술과 계집으로 장사하는 곳이 많았음을 의미한다. 목포는 중국과 일본을 잇는 국제 교역을 하는 공간이었기 때문에 사람들이 붐볐다. 상설시장이나 항구에서 상권을 형성했던 사람들은 대부분이 일본인이었다. 일본인들은 항구의 특성을 잘 알고 있었기 때문에 목포 주변의 여성들을 이용하여 '술과 계집으로 장사가 목포처럼 번창한 곳은 아마 전 조선에 없게' 하였다. 이를 통해 박화성은 1930년대 신흥 도시 목포의 눈물을 보여주고 있는 것이다. 우리의 손으로 스스로 근대화된 도시를 만들기보다, 일제에 의해 만들어진 근대화된 도시 속에서 살아가야 하는 사람들의 애환이 담겨 있다.

3. 교육 받은 여성의 비애

박화성 소설 속의 주인공은 교육 받은 여성이 많다. 그런데 교육 받은 여성들이 대부분 공장의 노동자로 전락하고 만다. 그 원인을 박화성은 세 편의 단편 소설을 통해 드러내고 있다.

「추석전야」에서 영신은 여학교 사년 급에서 인물이나 공부로 첫손가락을 꼽는 단정한 처녀였다. 하지만 남편이 폐병으로 죽자 방직공장에 다니며 남매의 학비를 벌고 있다.

우리는 못 배워서 뜻을 못 이룰 것이니 남매는 기어코 내 팔이 부러지더라도 남부럽지 않게 시켜보려니 결심하고 경아는 여학교에 입학시켰던 것이 열두 살 되는 금년에 고등과 1학년이며, 영이는 유치원에 보내어 매일 재롱이 늘어가는 고로 남매를 낙으로 삼고 기막힌 고생과 아픔을 달게 받고 지내는 중 이번에는 더욱 형편이 어렵게 되었다.

- 「추석전야」에서

영신은 어머니로서의 역할을 다 하려고 노력한다. 하지만 도시 빈민굴에 살고 있는 현실은 그녀를 나락으로 떨어지게 한다. 결국 영신은 '우리는 못 배워도 남매는 팔이 부러지더라도 교육시키자' 던 약속을 지키지 못하고 죽고 만다. 박화성은 교육을 받고 싶어도 받을 수 없는 도시적 환경을 말하고 있다. 그래서 박화성은 「떠나려가는 유서」에서 어머니의 죽음이 아닌 은순의 자각으로 그 현실을 지각하게 하고 있다.

「추석전야」에서의 영신이 남편을 폐병으로 잃었다면 「떠나려가는 유서」에서 은순 어머니는 아들을 폐병으로 잃었다.

은순의 아버지는 난봉꾼이었음에 그들에게는 아버지 있는 것은 없는 것보다 못하였다. 그러므로 그의 어머니는 고무공장의 여직공이 되어 은순의 남동생의 학비를 대었다.

- 「떠나려가는 유서」에서

그의 어머니의 하루 이삼십 전의 삯전으로 다섯 식구가 겨우 입에 풀칠만 하면서도 그나마 공장이 휴업할 때는 이 집의 식구는 며칠이라도 굶을 수밖에 없었다. 은순이는 여러 번 어머니에게 여공이 되기를

간청하였다. 그러나 은순이를 맞아들 겸으로 믿고 있는 그 어머니는

"어멈이 여공 된 것도 지긋지긋한데 어찌 너까지 여공이 되랴."

고 굳게 거절하였다. 은순이는 성적이 좋았던 만큼 교장의 도움(월 사금)으로 공부를 계속하게 되었으나 날마다 여러 방면의 압박을 당하며 고통을 받고 있는 그의 개성은 구체적으로 눈뜨기 시작하였다.

– 「떠나려가는 유서」에서

은순의 어머니도 영신이처럼 자식 교육을 위해 고무공장에 다니며 학비를 번다. 영신과 달리 남편은 있으나 남편이 제 구실을 못한다. 은순 어머니는 공장 일이 없으면 굶을 수밖에 없으면서도 딸이 끝까지 공부하기를 원한다. 하지만 은순은 공부를 그만 둘 결심을 한다. 현재 다니는 학교는 미국 남장로교에서 설립한 근대적인 학교이므로 자신의 의견을 마음대로 말할 수 없는 곳이다. 은순은 잘못된 교육에 대해서도 용기있게 자신의 의견을 말할 수 없는 환경에서 배운 교육은 쓸모없는 교육임을 알고 있다. 아름다운 인형으로 살아가기보다는 공장의 노동자가 되는 길이 더 떳떳한 방법이다. 박화성은 「떠나려가는 유서」에서 은순을 통해 미국인 선교사들이 세운 학교에서 가르치는 교육의 '허와 실'과 함께 일본인들이 가르치는 학교에서 교육의 문제점을 지적하고자 한 것이다. 박화성은 여기서 그치지 않고 「비탈」에서 전문학교 교육을 받은 여성이 어떻게 파멸되어 가는지를 보여준다.

「비탈」에서 수옥은 전문학교 영문학과 3학년에 재학 중이다. 일 년만 더 다니면 졸업이다. 수옥이 이렇게 공부할 수 있었던 원인은 온 가족의 희생 덕분이다.

"저 기집애년인가 무엇인가 서울 보내서 공부인가 막걸리인가 시킨
다고 우겨서 보내는 것은 누군데? 그리고 어린 아들놈 버는 돈은 몽땅
지년 밑으로만 들여보내고 아들놈 장가 밑천까지도 없어지고 논밭까지
도 없애버리고…(중략)… 저년 서울 가서 공부하는지가 몇 년이냐? 벌
써 칠 년째여 칠 년. 흥 하늘 아래 나같이 딸년 밑으로 논밭 없애는 놈
은 둘도 없을 것이다. 밥을 할 줄 아냐, 바느질을 할 줄 아냐. 정강이 닿
은 몽댕이 치마나 대롱거리고 말굽 같은 구둔가 무엇인가만 대통거리
고 집이라고만 오면 어디가 아프니 어디가 애리니 하고 번번이 자빠졌
기만 한단 말이여. 그러다가 이번에는 무어? 쇠약? 무엇이 쇠약했담
서? 응 아니꼽게 늙은 애비 앞에서 쇠약이 무어여? 그래 공부를 해가지
고 인제 무엇을 할꺼냐? 어디 보자. 큰 덕을 본다 했으니 어디 부원군
이나 되는가……."

– 「비탈」에서

유생원의 푸념처럼 하나 있는 남동생은 누나를 위해 취직을 해서 일을
하고, 유생원은 역사 깊은 옥토를 김부자에게 넘기고 작인 노릇을 하고 있
다. 외아들의 월급은 수옥의 학비로 모조리 들어가 버리고 '금비'니 '암모
니아'니 얄궂은 비료를 살 때는 장변을 내지 않으면 안 되는 현실에는 관
심조차 없는 수옥은 '신경 쇠약'이라는 병에 걸려 있다. 박화성이 수옥을
통해 나타내고자 하는 근대의 의미가 무엇일까? 수옥은 농촌에서 태어났
지만 농촌 여성답지 않게 고등 교육을 받았고, 농촌에 어울리지 않는 짧은
비단 치마에 뾰족 구두를 신고 있다. 자신이 태어나서 자라온 곳을 산보를
하고 있지만 수옥은 거리 풍경에 대한 신경질적인 반응을 보이고 있다. 이
는 아주 현대적인 것이다. 말 그대로 모던한 산보가 되는 셈이다. 근대 이

전의 문학에서 거리 산보가 신경질적인 감각을 수반한 채 이루어지는 경우를 찾기란 그리 쉬운 일이 아니다. 근대 이전의 산보란 소요음영(逍遙吟詠: 천천히 거닐며 시가를 읊조림)의 차원인 경우가 대부분이었다. 그러나 수옥의 시선은 늘 내부로 깊숙이 파고들지 못하고 외부에서 겉돌고 있다. 정찬의 말처럼 '현실에 입각한 자신을 발견하지 못하고 환경을 지배하지 못하고 농민들의 생활에 동화되지 못하는', '머리를 지지고 전대에 없는 손목 금시계를 차고 뾰족구두를 신고 양속 의복을 입고 얼굴이 현대식 미인으로 울트라모던'이다. 그녀의 시선을 투과하여 소설 속에 반영된 풍경도 역시 그녀 나름의 주관적인 해석을 거쳐서 굴절된 풍경일 따름이다. 농부들이 보리타작을 하며 도리깨를 치는 모습을 '납양(納凉)음악회에 출연하는 피아니스트의 피아노 건반 치는 솜씨' 그 이상이라고 생각하며 마루에 앉아 할랑할랑 부채질을 하고 있다.

수옥은 농촌에서 태어났지만 서울에서 공부한지 칠 년이나 되었다. 수옥의 고향은 보리타작을 할 때는 온 동네 사람들이 함께하는 공동체적인 공간으로, 정거장에서 '오리 남짓' 걸어 들어와야 하는 곳이다. 그렇기에 전근대적인 고향 또한 근대적인 수옥이 적응할 수 없는 곳이다.

수옥이 더욱 힘든 점은 근대적인 교육을 받은 여성임에도 불구하고 남성들은 전근대적인 사고방식을 요구한다. 그렇게 때문에 수옥은 신경쇠약에 걸릴 수밖에 없다. 아버지는 밥을 할 줄 아는 것과 바느질을 할 줄 아는 것으로 수옥을 평가한다. 전근대적인 아버지 눈에 이미 근대화된 수옥은 아무 쓸모가 없는 존재다. 그래서 도시에서 수옥은 '신식 미인'이나 시골에서는 '밥버러지'가 된다. 애인이었던 정찬 또한 '수옥 씨는 좁게 말하면 수옥 씨의 가정과 고향에 융화되지 못한 것이고, 넓게 말하면 조선의 현실이 현재의 수옥 씨 같은 그런 여성을 요구하지 않는다.'면서 전근대적인 가정과 고향에 융화되기를 원한다. 결국 수옥은 전근대적인 가치관과 진보적 가치관이 상충하는 혼란의 시기에 살고 있다. 그곳은 바로 비탈이었다. 농촌 여성이면서도 '미친 것 누가 논밭 매 먹고 살겠다냐, 그리고 살려면 차라리 진작 죽어 버리지.' 라며 농촌에 머무르지도 못하는 수옥은 모던걸이다. 자신의 뿌리가 된 고향은 단지 풍경으로만 존재 할 뿐이지 '먼저 온 미래' 를 사는 수옥을 받아 줄 공간은 존재하지 않는다. 그래서 수옥은 전근대적 세계관과 근대적 욕망 사이에서 찢긴 자아로 갈등하다가 그 교차점을 찾지 못하고 비탈에서 굴러 떨어진다.

4. 꿈의 도회를 갈망하는 여성들

다음으로 도시 주변부에 사는 여성이 도시로 팔려오는 과정과 도시에 와서 어떻게 '남성의 성적 도구' 로 타락해 가는 지를 「중긋날」과 「온천장(溫泉場)의 봄」을 통해 살펴보자.

꼭 죽을 것인데 살아 왔다고 사람들은 다행이라고 야단이었지만 지금의 자기 아버지로 본다면 차라리 죽어버린 것이 얼마나 나았을꼬? 돈벌이도 못 하고 누어서 먹기만 하고 오줌똥을 받아내고 그리고도 가끔 말썽이나 부리고 하는 그 아버지 때문에 자기도 팔려 가는 것이 아닌가?

— 「중긋날」에서

금례가 목포 술집으로 팔려 가는 것은 아버지 때문이다. 아버지는 목포에 있는 면화공장에 다니다가 다쳐서 오줌통을 받아내야 할 형편이었다. 금례는 돈벌이도 못하고 누워서 오줌통 받아내야 하는 아버지가 차라리 죽었으면 하고 생각하지만, 술장사하던 칠순이 아버지가 자꾸 권해 자식의 도리를 해야겠기에 빚을 내어 의원에게 보였다. 하지만 아버지는 낫지도 않고 의원에게 진 빚 백 원 때문에 오히려 금례가 목포 술집으로 팔려가게 되었다. 목포가 근대 도시로 탈바꿈하면서 주변부에 있는 여성들이 목포로 가는 길은 대부분이 이렇듯 돈에 의해 술집으로 팔려 간다. 그런데 문제는 금례나 용순이처럼 돈에 의해 팔려가면서도 부정적인 생각을 갖지 않는다는 점이다.

　　꽁보리밥! 보리 방아! 보릿가루죽! 이것은 호강의 호강스러운 생활이었다. 풀잎나물! 해초죽! 게 잡아다가 삶아 먹기! 그런 것 먹고 나서 설사질하기!
　　이제는 그만 저만 그 노릇도 하고 싶었다. 바닷바람 때문에 툭툭 터지는 얼굴과 손등에 향내나는 구라분도 바르고 싶었다. 살이 비죽비죽 타오는 헌 누더기를 벗어버리고 윤이 찌르르 나는 인조 비단 옷도 입어보고 싶었다.
　　작년에 목포로 팔려 갔다가 열 달 만에 어느 부자의 첩으로 들어갔다는 용순이가 저번 날 친정에 다니려 온 것을 보니까 머리에는 금붙이로 두껍을 하고 몸에는 비단 옷이오 거멓게 그슬렸던 얼굴과 손이 분결같이 고와지고 살이 오동포동 쪄서 아주 훌륭한 새 아씨가 되어있는 것을 본 금례의 맘은 고무 풍선처럼 들뜨려 하였다. 더구나 용순이가 금례를 보고
　　"너도 목포로 가게된다지? 너는 정말로 예쁘게 생겼으니까 다섯 달

도 못 가서 이렇게 될 걸."

하는 경판을 써가며 칭찬하던 말을 들은 후로는 금례의 마음이 더욱 이상한 호기심에 끌리게까지 된 것이었다.

– 「중굿날」에서

금례는 모두가 다 가난했던 절대적인 빈곤이라면 이겨낼 수 있지만, 도시에 나가서 금붙이에 비단 옷 뿐만 아니라 살까지 오동포동 찐 용례를 보니 자신의 비죽비죽 타오는 헌누더기가 싫어졌다. 용순이들이 목포를 드나들기 전에는 꽁보리밥도 호사요, 게바라지도 당연히 해야 하는 삶이었다. 그런데 금례는 아직 근대화된 도시의 실체를 모르고 있기 때문에 또 다른 용순이를 꿈꾼다. 그렇기에 얼굴과 손등에 향내나는 구라분도 바르고 싶고, 인조 비단 옷도 입어보고 싶다. 자신이 돈에 의해 팔려가듯이 구라분도, 인조 비단도 돈이 있어야 가능한 일임을 금례는 모르고 있다. 이렇듯 도시에서 살아가는 여성도, 도시 주변부에서 도시로 팔려오는 여성도 돈에 의해 삶의 방식이 바뀌고 있다. 돈에 의해 팔려 와서 비참하고 슬퍼해야 할 금례들이 오히려 도시의 시각적인 요소에 자극받는다.

「온천장(溫泉場)의 봄」에서 도시는 '열린 공간이면서 닫힌 공간'이다. 온천은 명례의 살결을 물처럼 들이비칠 듯이 희고 맑고 곱게 만들어 주었고, 아들이 없는 영감의 씨받이임을 실감나게 해 주는 공간이다. 때가 기름에 절은 냄새를 풍길 정도로 촌스러웠던 명례들이 수건으로 몸을 닦고 향냄새가 진동하는 향수를 온 몸에다 문지르고는 또 향내가 물씬물씬 나는 분가루를 위로 바르고는 양공주처럼 자동차를 타고 손님을 모시는 전복의 공간, 비애의 공간이다. 그런데 박화성이 중매쟁이를 보는 시각이 긍정적이다. 중매쟁이는 대전여관에 있는 팔려 온 여인들을 온천장에 데리고 다니며 탈주를 꿈꾸게 한다. 까칠까칠한 피부를 매끄럽게 하고, 분 세수 하고 비단 옷을 입혀 술집 작부로 팔려 가는 것이다. 그런데 중매쟁이는 여기서 '너 인제 네 세상 본다.'라고 말하고 있다. 또한 명례를 통해 '그러나 가만히 생각해보면 우선 자기로 볼지라도 영감님에게 가서 팔자가 괜찮고 또 영감님도 명례 얻은 것을 무척 좋아하는 모양이니 저런 짓을 하는 중매쟁이 여인들도 과히 나쁜 일을 하는 게 아니라 남에게 좋은 일을 하는 것이라는 생각에 그 여인을 과히 밉게 보지 않'는다.

> 서울부인은 명례 곁으로 들어왔다. 그의 살결도 백옥처럼 희고 얼굴은 꽃송이처럼 탐스러웠다.
> 더구나 금비녀 금귀이개 만으로 쪽진 새까만 머리며 보석 반지와 금가락지를 낀 그의 손은 명례로서 처음 보는 아름다운 것이어서 명례는 홀린 사람처럼 서울부인의 머리쪽과 왼 손에서 눈을 떼지 않고 보고 또 보고하였다.
>
> — 「온천장의(溫泉場) 봄」에서

명례에게 도시는 새로운 변신이 가능한 화려한 공간이며, 그녀의 욕망이 실현되는 공간이다. 금비녀와 금귀이개 만으로 쪽진 새까만 머리와 보석 반지와 금가락지를 낀 서울부인처럼 자신도 도시부인이 될 수 있는 곳이다. 하지만 정작 도시는 그녀에게 치욕의 상흔이 존재하는 공간이다. 남편은 대전여관 주인에게 이십 원을 받고 명례를 팔았다. 대전여관에서 종노릇을 하던 명례를 중매쟁이가 몰래 빼돌려 영감에게 사백 원을 주고 또 팔았다. 거기에 영감은 요리값으로 삼십 원을 더 중매쟁이에게 지불하였다. 이제 명례 몸값이 오르고 있다. 그런데 명례가 온천장에서 대전여관

주인에게 들켜 영감은 칠십 원을 더 대전여관 주인에게 지불하게 된다. 이리하여 명례의 몸값은 이십 원에서 오백 원이 된 것이다. 「온천장(溫泉場)의 봄」에서 온천이라는 공간은 근대적인 공간이며, 돈과 배신이 거래되는 공간이다. 고향을 떠나온 명례가 꿈꾸었던 도시는 인간으로서 존재 가치가 상실된 곳이다. 도회적 삶을 갈망했던 명례들은 자본주의 가치에 의해 책정된 물건으로서 존재가치를 지니고 있다. 지금 명례의 몸값은 오백 원이다. 스스로 돈을 갚지 못하면 그는 영원히 팔려다니는 물건으로서 존재할 뿐이다.

5. 도시와 여성 그리고 돈

근대도시에서 여성들이 삶을 유지하기 위해 필요한 것은 돈이다. 돈이 곧 권력이요 힘이다. 돈은 의·식·주를 해결할 수 있으며, 교육을 받을 수 있는 원동력이다. 그런데 안타깝게도 박화성 소설에서 여주인공들은 '돈'이 없다. 그래서 고달프다. 박화성은 「추석전야」와 「두 승객과 가방」을 통하여 근대도시에서 '돈'으로 인하여 여성들의 삶이 어떻게 변화하는지 보여주고 있다.

「추석전야」에서 영신은 방직공장에서 공장 감독이 주는 일원을 거부함으로써 자존심을 지킨다. 하지만 방직공장에서 퇴근하고 집으로 돌아오는 중 시장에 즐비하게 널려있는 수박 생선(生鮮), 보기만 해도 침이 흐르는 먹을 것들, 송방마다 걸어놓은 댕기와 대님 등은 영신에게 현실을 인식하게 하는 통로 역할을 한다. 즉 물물교환이 이루어지던 공간의 사멸과 근대화된 도시공간인 시장에서는 화폐의 중요성을 실감나게 한다. 그런데 영신에게는 교환할 수 있는 화폐가 없기에 보지 않으려고 바삐 걷는다.

서둘러서 집에 와도 돈에서 헤어날 수 없다. 열두 살인 경아는 고등과 1학년인데 월사금이 없어서 학교에 갈 수 없다며 울고 있고, 여섯 살 된 영이는 '허리 끈 대님'을 사 주지 않는다고 투정을 부린다. 집에 있는 거라곤 좁쌀과 안남미 싸라기밖에 없다. 남편이 폐병으로 죽고 나서 영신 홀로 시어머니와 남매 학비를 벌기 위해 방직공장에서 일급 '사오십 전'으로 생활하기에 겨우 목숨만 이어가는 형편이다. 그런데 엎친 데 덮친 격으로 땅세가 세달 밀려 사 원 오십 전이 있어야 한다. 영신이 사정을 하지만 서울 노인은 못 내겠으면 집을 나가라고 경판을 부린다.

영신은 북받치는 비(悲)와 분(憤)을 참고 천연히 앉아 아까 생각을 계속한다. 경아의 월사금 이 원 댕기 대님 모두 합하여 삼 원 가량이다. 땅세가 사 원 오십 전, 내일은 다시 좁쌀과 싸라기를 팔아야 할 것이다. 또 명일이라고 고기는 못 해 드리지만 백미 한 되는 팔아야 될 터인데, 일 원만 있으면 될 것이다. 그러면 얼마이냐, 십일 원이다. 십일 원만 있으면 될 것이다. …(중략)… 그는 부자랄망정 과히 호사는 아니하였으나 그의 가진 야광주 시계는 분명 고가일 것이다. 그 시계 아니 그에게는 아니 부자라는 좀의 주먹 속에는 철갑 속에는 몇 천원 몇 만원이 있으렷다.

지금도 술을 마시며 한 자리에서 몇 십 원씩 기생의 웃음값 주기에 얼마나 없어질 것이다. 그 흔한 돈이 왜 이런 몸에는 이리도 귀한가. 내일은 공장에서 돈을 준다고 하였다. 십 일 일급이 오 원이니 육 원이 모자란다.

- 「추석전야」에서

십일 원을 만들어야 하는 영신은 시어머니 앞이라 한숨도 쉬지 못하고 북받치는 슬픔과 고통도 참으며, 이리저리 생각하지만 육 원이 부족하다. 집에 혹시 팔 물건이 있으려나 생각하지만 없음을 깨닫고 세 개에 일 원 십 전 하는 바느질감을 가지러 간다. 세 번째 닭이 울 때까지 아픈 어깨를 만지며 바느질 하다가 쓰러져 잔다. 다음 날도 공장에서 퇴근하자마자 곧장 집으로 와서 저녁도 먹지 않고 바느질에 매달린다. 그렇게 해서 '피 값 눈물 값'으로 오 원을 구했다.

> "이 세상이 어떤 세상이라고…… 내 몸 다음에 남이야. 석 달이나 용서해 주었으면 그만이지. 이 내오. 오 원."하며 오십 전 은화를 영신의 손에 놓는다. 은전이 반사하여 영신의 눈을 찌른다. 영신은 은화가 더럽다는 듯 얼른 땅에 떨쳤다. 영감은 간다 보아라 하고 지팡이를 끌며 천천히 내려간다.
>
> …(중략)…
>
> 적삼 위로 부유스름한 물이 팔에서 스며 나왔다. 무심한 달은 빛난 웃음을 영신에게 보낸다. 떨어진 은전이 말없이 희게 빛난다. 이것을 본 영이는 울음을 그치고 얼른 은전을 집으며
>
> "어머니, 돈 여기 있소"
>
> 하고 빨리 집어든다. 어머니에게서 더럽다고 배척을 받아 떨어진 은전은 아들의 손에서 더욱 곱게 빛나고 있다.
>
> — 「추석전야」에서

영신은 자존심을 굽히며 마지막으로 서울 노인에게 추석을 바로 앞두고 있기에 땅세 한 달 분만 나중에 내게 해달라고 부탁한다. 하지만 서울

노인은 이 세상이 어떤 세상이냐며, 내 몸 다음에 남이라고 말하며 일언지하에 거절한다. 근대 자본주의에서 화폐의 힘은 거대하다. 모든 가치가 화폐로 계산되는 세상이다. 아픈 팔을 쉬지도 않고 낮과 밤을 일하여 번 돈을 서울 노인에게 주고 나니 남은 돈은 오원짜리 은화 하나다. 영신은 그 돈이 더럽다고 배척을 하지만 은화는 아들 영이의 손에서 더욱 곱게 빛나고 있다. 결국 그 은전이 반사하여 영신의 눈을 찌른다. 박화성은 근대 도시에서 여성들이 생존하기 위해서는 돈이 필요함을 영신의 죽음을 통해 역설적으로 보여주고 있다. 영신에게 돈이 있었으면 경아의 월사금도 낼 수 있었고, 다친 팔을 치료할 수도 있었으며, 땅세도 낼 수 있을 것이다. 하지만 영신에게는 돈이 없다.

「두 승객과 가방」에서 정채는 남편이 감옥에 있기 때문에, 젖먹이 아들을 할머니께 맡겨두고 대구에 있는 공장으로 돈 벌러 가는 중이다.

정채는 왼편 손으로 적삼 위에 불룩하게 일어난 두 젖통을 어루만지자 갑자기 콧마루가 시큰해지면서 두 눈이 뜨거워졌다.

앞길에 깔린 작은 돌멩이들이 얼버무려 덩어리가 지면서 눈물이 술술 뺨으로 흘러내렸다. 정채는 안타까운 가슴을 소리 섞인 한숨으로 가라앉히려 하였다.

이제야 두 살 되는 첫아들 종이가 젖을 빨면서 말끄러미 엄마 얼굴을 쳐다보다가 정채 어머니 되는 종이 할머니가

"아가 그만 먹고 이리 온 엄마가 돈벌러 간단다. 사탕 많이 사 갖고 온단다."

하면서 데려가려 하니까 별안간 가슴으로 기어들면서 젖꼭지를 쑥 빼고

"사탕 안 해. 엄마 안가 엄마 안가 응?"

하고 입술을 쫑그려 뾰족이 내밀고는 앞턱을 올리면서 엄마의 눈을
쳐다보면서 물었다.

- 「두 승객과 가방」에서

정채는 대구에 가는 기차에 몸을 싣고 불어 오른 젖통의 아픔을 느끼
며, 이 순간 젖을 먹고 싶어 울고 있을 아들을 생각한다. 돈이 있어야 남편
에게 사식도 넣어줄 수 있고, 아들을 키울 수 있다. 하지만 아들은 돈 벌어
서 사탕 사 온다는 말에 사탕이 없어도 되니 가지 말라고 운다. 아들의 울
음소리가 귀에 울려 정채는 어머니가 될 자격이 없다고 자책하며 멀어져
가는 유달산 자락의 빈민굴을 바라본다.

근대화된 도시 공간에서 여성과 돈은 불가분의 관계가 있다. 특히 식민
지적 기형 구조로 근대화가 진행된 목포는 다양한 여성들의 삶이 존재했
다. 박화성은 목포에서 나고 목포에서 자랐기 때문에 누구보다 목포의 이
중적 근대성을 잘 알 수 있었다. 왜냐하면 그녀 또한 수옥이처럼 '먼저 온
미래'를 살았던 목포의 여성이었기 때문이다.

▌▌▌▌ 참고문헌

김주관, 『한국 근대 민중 생활사 읽기』, 夏雨, 2003.

마샬 버만, 윤호병·이만식 역, 『현대성의 경험』, 현대미학사, 1996.

변신원, 『박화성 소설 연구』, 국학자료원, 2001.

社團法人 木浦 百年會, 『木浦開港百年史』, 木浦新聞社, 1997.

서정자, 『박화성문학전집16』, 푸른사상, 2004.

이마무라 히토시, 이수정 역, 『근대성의 구조』, 민음사, 1999.

이성욱, 『한국 근대문학과 도시문화』, 2004. 문화과학사.

최병두, 『근대적 공간의 한계』, 삼인, 2002.

한스 마이어호프 지음, 이종철 역, 『문학 속의 시간』, 문예출판사, 2003.

호남문학과 근대성 연구 1

초판 1쇄 찍은 날 2007년 1월 15일
초판 1쇄 펴낸 날 2007년 1월 15일

지은이 호남과 근대연구회
펴낸곳 전남대학교 호남학연구단
만든곳 도서출판 심미안
주소 503-821 광주광역시 남구 양림동 24-18번지 2층
전화 062-651-6968
팩스 062-651-9690
메일 simmian03@hanmail.net
등록 2003년 3월 13일 제05-01-0268호

값 12,000원
ISBN 89-91329-52-7 03800